MARCO ⊕ POLO

SCHOTTLAND

Reisen mit **Insider Tipps**

> Das klare Licht Schottlands ist eine
> Offenbarung. Wolken wirken hier
> wie sich bewegende Theatervor-
> hänge. Dagegen ist die Landschaft
> bei Sonne pur fast schon langweilig.
> *MARCO POLO Autor*
> *Martin Müller*
> (siehe S. 131)

SCHOTTLAND

> SYMBOLE

 **MARCO POLO INSIDER-TIPPS**
Von unserem Autor
für Sie entdeckt

★ **MARCO POLO HIGHLIGHTS**
Alles, was Sie in
Schottland kennen soll-
ten

☆ **SCHÖNE AUSSICHT**

▶▶ **HIER TRIFFT SICH
DIE SZENE**

> PREISKATEGORIEN

HOTELS
€€€ über 180 Euro
€€ 100–180 Euro
€ unter 100 Euro
Die Preise gelten pro Nacht
für zwei Personen im Doppelzimmer mit Frühstück

RESTAURANTS
€€€ über 40 Euro
€€ 20–40 Euro
€ unter 20 Euro
Die Preise gelten für ein
Essen mit Vor-, Haupt- und
Nachspeise ohne Getränk

> KARTEN

[112 A1] Seitenzahlen und
Koordinaten für den
Reiseatlas Schottland
[U A1] Koordinaten für die
Edinburgh-Karte
[0] außerhalb der
Edinburgh-Karte

Zu Ihrer Orientierung
sind auch die Orte mit
Koordinaten versehen,
die nicht im Reiseatlas
eingetragen sind

INHALT

ENTDECKEN SIE SCHOTTLAND!

Unsere Top 15 führen Sie an die traumhaftesten Orte und
zu den spannendsten Sehenswürdigkeiten

Die Highlights sind in der Karte auf dem hinteren Umschlag eingetragen

Whisky
Probieren Sie das „Lebenswasser" in
seinem Ursprungsland – in Schottland
sitzen Sie an der Quelle (Seite 21)

Royal Highland Gathering
Zu diesen Highland Games in Braemar
kommt sogar die Queen, um den
Baumstamm fliegen zu sehen (Seite 23)

Jedburgh Abbey
Romantische Frühgotik: Von den
vier Grenzlandabteien ist dies die
imposanteste (Seite 34)

Glasgow School of Art
Das Jugendstil-Meisterwerk des
Architekten und Designers Charles
Rennie Mackintosh beherbergt eine
Kunstschule von Weltruf (Seite 43)

Bute
Kleine Insel vor Glasgow mit dem
märchenhaften Herrenhaus Mount
Stuart House (Seite 48)

The Royal Mile
Edinburghs Parademeile führt vom
Schloss durch die Altstadt bis zum
Regierungssitz (Seite 54)

Crathes Castle
Das Schloss in der königlichen Ferien-
landschaft Royal Deeside lockt mit den
romantischsten Gärten in Schottland
(Seite 64)

Loch Ness
Immer noch geheimnisvoll sind
die Mythen um den prominentesten
Bewohner des Sees (Seite 68)

> DIE BESTEN
MARCO POLO
HIGHLIGHTS

 Golden Road
Zwischen Meeresbuchten und
Seehunden arbeiten auf Harris
Tweedweber an alten Holzwebstühlen
(Seite 73)

 Scarista Beach
Jeder Karibikstrand verblasst angesichts
dieser Robinson-Oase auf Harris
(Seite 74)

 Trotternish-Halbinsel
Panorama pur auf Skye: die schönsten
Blicke aufs Meer und auf zerklüftete
Felsen (Seite 76)

⭐ **Staffa**
Bizarre Felseninsel vor der Westküste
von Mull, die schon zahlreiche Künstler
inspirierte (Seite 78)

 Skara Brae
So waren die Menschen auf Orkney
vor 5000 Jahren möbliert: Das einzig-
artige, weil erhaltene Steinzeitdörfchen
kann auch ohne Animation faszinieren
(Seite 82)

 Mousa Broch
Geschichte mit Gänsehautambiente:
Der mächtigste piktische Wohnturm
Schottlands wirkt wie ein Monolith aus
dunkler Vergangenheit
(Seite 86)

 West Highland Way
Für Wanderer ist dieser Weg eigentlich
ein Muss. 152 Kilometer zu Fuß von
Glasgow zum höchsten Berg, dem Ben
Nevis: eine Woche Schottland intensiv
(Seite 97)

WAS FÜR EIN LAND!

> Schottland ist Kult! Kilt, Nessie, Maltwhisky, Dudelsack, Burgen und Golf locken ins wildromantische Nordland. Zwischen Edinburgh, Shetland und Hebriden wird die Windschutzscheibe zum Panoramafenster für Bergkuppen, Moorseen und Steilküsten. Das atlantische Wetter sorgt für ständige Lichtwechsel, und die Dramatik der oft menschenleeren Highlands erlebt man am besten zu Fuß. Komplett ist die Reise ins Land der filmreifen Mythen, wenn man der Einkehr vom Ausflug genügend Zeit einräumt: in feinen Fischlokalen oder rustikalen Pubs, danach träumend in spukigen Gemächern oder prachtvollen Schlössern.

> An einem schönen, lauen Sommerabend vor ein paar Jahren in Edinburgh: „I'm only happy when it rains!" singt Frontfrau Shirley Manson von der Rockband Garbage zur Einweihungsfeier des ersten schottischen Parlaments seit gut 200 Jahren. Und alle Zuschauer singen inbrünstig mit. Womit sich neben dem wechselhaften Wetter Schottlands ein Grundzug des schottischen Charakters zeigt: der knackige Humor! Das Naturell dieses Volks ist von historischen Härten, subarktischer Randlage und calvinistischer Strenge genauso geprägt wie vom hitzigen und melancholischen Wesen ihrer keltischen Ahnen, der Skoten und Pikten. Diese Mischung hat die Schotten zu einem offenherzigeren und impulsiveren Menschenschlag werden lassen als ihre reservierteren südlichen Nachbarn, die angelsächsischen Engländer. Wie kommen zwei so unterschiedliche Temperamente auf einer Insel miteinander aus? Bis ins 18. Jh. hinein nur schlecht, und noch heute sind

> **Ein offenherziger und impulsiver Menschenschlag**

die Schlachten mit den Engländern für viele Schotten im Gedächtnis verankert. Seit der Londoner Regentschaft des gebürtigen Schotten Tony Blair geht es etwas besser, denn der ließ erstmals wieder ein schottisches Parlament zu. Dabei müssen sich die gut fünf Millionen Schotten, die auf einem Gebiet von etwa der Größe Österreichs leben, nicht verstecken. War es vor 150 Jahren der Schiffbau am Clyde, der Schottland wirtschaftlich unter Dampf brachte, sind es heute vor allem Computer- und Gentechnik im so genannten Silicon Glen

zwischen Edinburgh und Glasgow. Studienplätze in Schottland sind begehrt, Kreativität und das gute Bildungswesen sind seit langem Pfunde, mit denen Schottland wuchern kann.

Die meisten Besucher kommen der rauen, dominierenden Natur wegen, und doch ist das Land auch ein respektables Kulturziel. Im Süden, in den meist lieblichen Lowlands mit reizvollen Kleinstädten wie Jedburgh oder Peebles, locken romantische Abteiruinen aus dem 12. Jh. Unter gotischen Bögen wird schottische Grenzgeschichte nachvollziehbar. Am intensivsten erfährt man die hügelige Region der Klosterruinen und idyllischen Forellenflüsse übrigens mit dem Rad oder bei Tageswanderungen etwa um Melrose – wobei man auch gleich der Literatur auf die Spur kommen kann. Ein Besuch des märchenhaften Domizils des Romanciers Sir Walter Scott am Fluss Tweed bei der Dryburgh Abbey ist ein Muss. Abbotsford House heißt seine Schmiede des Schottland-Tourismus, denn ohne Scotts Erzählungen aus dem 19. Jh. wäre das Klischee von ganzen Kerlen in karierten Kiltröcken nicht entstanden. Kein Hollywood-Highlander ohne den Lowlander Scott, keine Donizetti-Oper „Lucia di Lammermoor" ohne seine Vorlage. Einzig die Legende vom Ungeheuer im Loch Ness, der

> **Einsame Highlands und liebliche Lowlands**

quäkende Dudelsack, der im Whisky destillierte Geschmack der Highlands und der Charme Sean Connerys sind nicht auf Scott zurückzuführen.

Zwischen Lowlands und Highlands reihen sich die Städte Glasgow und Edinburgh fast wie eine natürliche Grenze auf. Unterschiedlicher können zwei Städte, getrennt nur durch eine Stunde Bahnfahrt, nicht sein.

sen in die schmalen Gassen, in denen mit der Dämmerung der Spuk von Hexenverfolgungen und die Moritaten eines Dr. Jekyll wieder aufzuleben scheinen. Ganz anders Glasgow. Hier gibt es keine Fassade wie aus einem Guss, stattdessen konkurrieren in der Stadt am Clyde klassizistische Tempel mit neugotischen Türmen

Eisenbahnbrücke über den Firth of Forth bei Edinburgh

Edinburgh (sprich: *Edinbarra*) verströmt mittelalterlichen Charme, besonders auf der Royal Mile, die den majestätischen Burghügel mit dem königlichen Holyrood-Palast verknüpft. Auf einer der wohl atmosphärischsten Highstreets Europas erreicht das Flanierbarometer oft südländische Hochs. Schotten feiern den Büroschluss hemdsärmelig in Straßencafés, Touristen stecken ihre Na-

und Jugendstilansichten. Straßenplan und Drive erinnern eher an Chicago als ans Mittelalter. Schottisches Lebensgefühl und Temperament sind nirgends authentischer zu erleben als in Glasgow. Auch wenn der Dialekt schwer verständlich ist, wird jeder Besucher vom Streetlife, den Musikclubs, der lebendigen Kunstszene und der Gastfreundschaft positiv überrascht sein.

WAS WAR WANN?

500 v. Chr. Keltische Stämme ziehen ins heutige Schottland

843 Kenneth MacAlpine wird erster Schottenkönig in Scone

1296 Schottland wird englische Provinz

1297–1303 Braveheart William Wallace bekämpft die Engländer

1314 Robert the Bruce schlägt die Engländer bei Bannockburn und erklärt Schottland für unabhängig

1542–87 Maria Stuarts Leben führt über den schottischen Thron zu ihrer Enthauptung durch Englands Königin Elizabeth I.

1707 Das schottische Parlament erklärt das Land für bankrott und beschließt die Union mit England. Entsendung von Parlamentariern nach Westminster

1746 Der letzte schottische Aufstand unter Stuart-Prinz Bonnie Prince Charly scheitert endgültig und blutig in der Schlacht von Culloden

1782–1854 Während der Highland Clearances werden Kleinbauern vertrieben, das Clanwesen zerstört. Großgrundbesitzer siedeln sich an und beginnen mit der flächendeckenden Schafzucht

1970 Orkney und Shetland werden Nordsee-Ölmächte

1997–99 Blairs Politik beschert Schottland ein eigenes Parlament; die Labour Party gewinnt die ersten Wahlen

2002 Erster schottischer Nationalpark wird der Loch Lomond and The Trossachs National Park

2007 Die Scottish National Party (SNP) gewinnt mit Unabhängigkeitsparolen knapp die Parlamentswahlen

Nördlich der Städte beginnen die Highlands: eine nach Norden hin immer ungeschlachtere, grünsamtige Bergregion, die an Sardinien oder Patagonien erinnert. Zwischen den Bergen (*Bens*) blinken fischreiche Seen (*Lochs*) wie Spiegel, hier haben Forellenangler ihr Revier, in den Flüssen gehen die Schotten auf Lachse.

Wer mit dem Auto unterwegs ist, bestaunt phantastische Panoramen. Links der Straße ziehen Nebelfetzen über das Torfmoor, rechts leuchtet das rötliche Fell eines Highlandbullen in der pinkfarbenen Heide. Lichtfinger tasten suchend vom Himmel herab, beleuchten für einen Moment eine einsame Kieferngruppe inmitten eines Sees, streicheln dann die aufstrebenden Flanken eines gezackten Gipfels, über dem Adler und Raben ihre Kreise ziehen. Nie ist das Meer weiter als eine Autostunde entfernt. An der rauen Westküste, zwischen Oban und Mallaig, verfärbt sich der Himmel abends von Türkis nach Pink. Im Osten, über den kleinen Häfen der Halbinsel Fife, klärt sich der typische Morgennebel, *haar* genannt, oft zu einem fast mediterranen Licht. In dieser Landschaft Golf zu spielen ist für die Schotten Alltag, und Besucher, auch Anfänger, sollten es unbedingt auch einmal versuchen. Besonders die *links* genannten Plätze in den Dünen der Ostküste zwischen St. Andrews, Aberdeen und Peterhead sind landschaftliche Highlights.

Nördlich des geologischen Grabens Great Glen mit dem sich von der „Highland-Hauptstadt" Fort William bis nach Inverness dahinziehenden

Caledonian Canal ist das Land fast menschenleer. Die Kleinbauern *(crofters)* wurden im frühen 19. Jh. von adeligen Großgrundbesitzern, die Schafzüchter waren, vertrieben. Für die Jagdgelüste der neuen *gentry* wurde Rotwild eingeführt. Prachtvolle Hirsche sind heute oft von der Straße aus zu beobachten. Dann tauchen plötzlich Schlösser und Burgen

> **› Nebelfetzen ziehen über das endlose Moor**

wie hingezaubert auf. Und fast überall hat der Wanderer Zutrittsrecht.

Im Norden liegen Orkney und Shetland fast wie eigenständige Reiche, deren hervorragende Ausgrabungen, Steinkreise und geografische Namen an die über 5000-jährige Besiedlung und die Verbundenheit der Insulaner mit den Wikingern erinnern. Die Inseln sind gut mit dem eigenen Wagen zu bereisen, wenn man die Fährreise nicht scheut. Eher keltisch-verträumt sind die Hebriden im Westen Schottlands. Ein Segeltörn zwischen den dramatisch Gebirgen der Inneren Hebriden wie Jura, Mull oder Skye bietet sich an. Oder man nimmt Kurs auf die Äußeren Hebriden, zu den entrückt wirkenden Uists und dem dramatischen Steingebirge von Harris. Auf Lewis locken der zweitgrößte Steinkreis Britanniens, auf Harris menschenleere Strände. Die abgelegenen Inseln sind etwas für Schottlandkenner. Sie kommen wegen des süchtig machenden Fluidums, das vom Lichtspiel der Himmelsgezeiten auf einer herbschönen Landschaft rührt.

Großstadtambiente: die Bar des Designzentrums „The Lighthouse" in Glasgow

▶▶ TREND GUIDE SCHOTTLAND

Die heißesten Entdeckungen und Hotspots! Unser Szene-Scout zeigt Ihnen, was angesagt ist

Alexander Tiefenbacher

lebt in Edinburgh und arbeitet dort an seiner Doktorarbeit über David Hume. Der studierte Philosoph ist in seiner Freizeit am liebsten in den schottischen Highlands unterwegs oder genießt das urbane Leben im Uni-Viertel mit seinen vielen Cafés. Abends trifft man ihn in den Bars. Seine persönlichen Top 3 der angesagten Hangouts: *The Dome, Brass Monkey, The Standing Order*.

▶▶ ARTS & CRAFT

Offene Ateliers und Studios im ganzen Land

Die Kreativen öffnen ihre Ateliers und lassen sich über die Schulter blicken. Knapp 100 Künstler beeindrucken die Öffentlichkeit jedes Jahr beim *Spring Fling* in Dumfries und Galloway im Südwesten Schottlands mit ihren innovativen Ideen *(http://artandcraftsouth westscotland.com/springfling, Foto)*. Im Nordosten des Landes stehen vier Buchstaben für Avantgardistisches und Experimentelles: *NEOS* bedeutet *Northeast Open Studios* *(www.northeastopenstudios.co.uk)* und ist ein Netzwerk aus Kreativen und Galerien. Die

Entstehung der Werke kann man immer im September live erleben. *Wasps Artists' Studios* *(www.waspsstudios.org.uk)* bietet Künstlern erschwingliche Ateliers und unterstützt so rund 750 Artists im Land. Auch sie öffnen einmal im Jahr ihre Räume für Besucher. Einen Überblick über die Galerielandschaft, Künstler und Open Studios gibt *Highland Open Studios* *(www.highlandopen studios.co.uk)*.

SZENE

▶▶ MEHR UND MEHR

Nightlife-Locations mit Pomp

Die Clubs und Bars in Glasgow und Edinburgh geben alles und noch ein bisschen mehr: Mehr Deko, Style und Opulenz. „More red" könnte das Motto des Luxus-Clubs *Lulu* in Edinburgh lauten. Wände aus roter Seide, rote Designsessel, rote Beleuchtung für die Bar *(125b Georg Street, www.luluedinburgh.co.uk)*. Die neue Üppigkeit erkennt man auch in der *Dragonfly Cocktail Bar (52 West Port,*

Edinburgh, www.dragonflycocktailbar.com) – Kronleuchter und Wandgemälde wohin das Auge blickt. In Glasgow feiert die Szene stylish im *Tusk (18 Moss Side Rd.)* und mit jeder Menge Glam im *One Up (23 Royal Exchange Square, www.oneupglasgow.com,* Foto).

▶▶ JUNGE DESIGNER

Auf dem Weg zur Fashion-Elite

Immer mehr junge schottische Designer setzen mit ihren mutigen Styles Trends. Bestes Beispiel ist Christopher Kane. Die Modebranche vergöttert den 26-Jährigen für seine ultraschlanken Silhouetten und die knappen Schnitte seiner Kreationen. Schottland fördert den Mode-Nachwuchs: So bietet die Initiative *Glasgow – Scotland with Style Design Collective (www.seeglasgow.com/design)* Newcomern die Chance, ihre Mode auf der *London Fashion Week* zu zeigen und auch der Zweck des *Six Cities Design Festivals* ist es, aufstrebende Talente zu fördern *(www.six-cities.com)*. Die Namen der Stunde: Niki Taylor mit ihrem Lable *Olanic (www.olanic.co.uk)*, Jennifer Lang *(www.jennifer-lang.com)* und Sarah Raffel, die in ihrem *Brazen Studios* in Glasgow u.a. ihre eigene Schmucklinie *Magpie* verkauft *(58 Albion Street, Merchant City, www.brazenstudios.co.uk,* Foto).

▶▶ FILM AB!

Wenn das Festivalfieber grassiert ...

Glamour pur herrscht beim *Edinburgh International Film Festival (www.edfilmfest.org.uk)*. Hier laufen Stars wie Charlize Theron über den roten Teppich. Angesagt ist auch Schottlands neuestes Festival *The Deep Fried Film Festival (www.deepfriedfilm.org.uk)*. Weiterer Pflichttermin im cineastischen Kalender: das *Glasgow Filmfestival (www.glasgowfilmfestival.org.uk)*. Fans von Indie-Streifen kommen in den unabhängigen Kinos *The Belmont Picturehouse* in Aberdeen *(49 Belmont Street)* und *Cameo Picturehouse* in Edinburgh *(38 Home Street, beide www.picturehouses.co.uk, Foto)* auf ihre Kosten.

▶▶ SLEEP WELL

Design im Preis inbegriffen

Das neue Konzept der Hotels: stylish und bezahlbar. Vorzeigeobjekte sind das *Dakota (Shawfoot Road, Glasgow, www.dakotaeurocentral.co.uk)* mit Natursteinwänden und das *Rocpool Reserve* in Inverness, in dem in drei Kategorien gedacht und gezahlt wird: dekadent, chic und hip. Wobei hip für bezahlbare Preise plus puristisches Design steht *(Culduthel Road, www.rocpool.com)*.

Last but not least: das glamouröse Hotel *Tigerlily* in Edinburgh *(125 George Street, www.tigerlilyedinburgh.co.uk, Foto)*.

▶▶ KLEINSTÄDTE IM KOMMEN

Nightlife-Trends abseits von Glasgow und Edinburgh

Kleine Städte ganz groß: Vor allem in Sachen Nightlife legen die Locations der Second Cities bzw. Small Cities nach. Im *Tiger Tiger* in Aberdeen *(1–2 Shiprow, www.tigertiger-aberdeen.co.uk, Foto)* schlemmt die Szene in der gleichen Location, in der danach getanzt wird. Großstadtfeeling herrscht auch im *Barbazza (5–9 Young St., www.barbazzabar.co.uk)* in Inverness: die Atmosphäre ist kosmopolitisch, das Interior durchgestylt. Genau wie in der angesagten Hotelbar *Number Twenty Five* in Dundee *(25 South Tay Street, www.g1group.co.uk)*.

▶▶ ROCK, POP & ALTERNATIVE

Junge Talente aus Schottlands neuer Musikhochburg

Glasgows Musikszene boomt und feiert internationale Erfolge. Namen, die man sich merken sollte: *The Fratellis (www.thefratellis.com)*, *The Hussys (www.thehussys.com)* oder auch *Latonic (www.latonic.com)*. Die fünf Jungs der Band sind cool und stylish, ihr Guitar-Sound ist rockig und individuell, ihr Erfolg überwältigend. Bei Live-Auftritten flippen die Fans regelmäßig aus. *We are the Physics* schwimmen auf der New Wave- und Alternative-Welle oben auf *(www.wearethephysics.com)*. Schottland tut was für seine jungen Künstler: Festivals wie *T in the Park (www.tinthepark.com)* und *The Wickerman Festival (www.thewickermanfestival.co.uk*, Foto*)* sind wichtige Plattformen für nationale Bands.

▶▶ PUBS TRAGEN PRADA

Erfrischungskur für Bars

Einfach nur ein Bierchen am Tresen zischen? Das ist der Szene nicht genug. Schick ist im Trend – neuerdings auch in den Bars. Was sich früher nur ein Pub war, avanciert nun zur noblen Location. Das *Santini* in Edinburgh zum Beispiel *(Sheraton Grand Hotel, 1 Festival Square)* ist komplett in Ocker-, Zimt-, Creme- und Ingwertöne getaucht, die Bedienungen tragen *Versace* oder *Gucci*. Edel und stylish sind die treffendsten Adjektive für das *Scotts*, wo es neben einer klassischen Bar auch eine große Terrasse gibt *(Harbour Road, Troon, www.scotts-troon.com*, Foto*)*. Das *Artà (62 Albion Street, Merchant City, www.arta.co.uk)* und das *Corinthian (191 Ingram Street, www.corinthian.uk.com)* gehen in Glasgow mit dem Trend zur durchgestylten Bar.

> SCHOTTENROCK UND DESTILLIERTER MYTHOS

Schotten schafften schon immer spielend den Spagat zwischen Folkloristischem und neuen Tönen

DUDELSACK

Klar, dass ein derart schrill quäken-
des Instrument mit übrigens neun
ganzen Tönen eine Kriegswaffe ist.
Die Römer marschierten damit, die
Engländer hatten es schon vor den
Schotten, und heute quält sogar die
jordanische Armee den musikalischen
Balg. Eine Zäsur in der Geschichte
der Sackpfeife bildet die grausame
Schlacht von Culloden: 100 schottische *piper* wurden damals geviertelt,
England verbot das Dudelsackspiel.
Doch die Schotten hatten den länge-
ren Atem, und der hat sich bis heute
gehalten – was wohl auch mit der
schottischen Cleverness in Sachen
Mythosvermarktung zu tun hat.

ERFINDER

Der 1881 geborene Alexander Fle-
ming entdeckte nach langen For-

Bild: Dudelsackband bei den Cowal Highland Games in Dunoon

STICH WORTE

schungsjahren das Penicillin und erhielt dafür den Medizin-Nobelpreis. Nicht nur Mediziner und Forscher, auch Erfinder brachte Schottland reichlich hervor: Charles Mackintosh entwickelte die wasserfeste Kleidung; John Dunlop erfand den luftgefüllten Reifen; die Dampfmaschine stammt von James Watt; Alexander Graham Bell ist der Vater des Telefons. Dass ein kleines Land so stark vom Genius gesegnet wurde,

hat seine Gründe. So setzte sich der Reformator John Knox schon ab 1546 für eine allgemeine Schulpflicht ein. Der hohe akademische Standard hat sich bis in die Gegenwart erhalten – ob bei der Entwicklung von Mikroelektronik im Silicon Glen oder bei den wissenschaftlichen Versuchen, Erbgut zu manipulieren – man erinnere sich an das Klonschaf Dolly. Das walisische Bergschaf stammte aus Roslin.

FLORA UND FAUNA

Kaledonische Kiefern, Eichen und Birken bedeckten einst das Land, wurden aber zum Großteil ab dem 16. Jh. als Schiffsbaumaterial abgeholzt. Seither gibt es die *caledonian pine* nur noch an wenigen Stellen. Über Heidemooren, sumpfigen Tälern und steilen Bergrücken kreisen etwa 200 Steinadlerpaare, durch die einsamen Highlands und den zaghaft wieder geförderten Baumbewuchs fressen sich ca. 300 000 Stück Rotwild, von denen 70 000 pro Jahr zum Abschuss freigegeben werden – ein nicht unbedeutender Wirtschaftsfaktor. Gleiches gilt für die Jagd auf das Moorhuhn *(grouse)*, dessen Konterfei das Label der gleichnamigen Whiskymarke ziert. An der Westküste und auf den Hebriden wächst dank des milden Golfstromklimas Subtropisches in wunderbar angelegten Gartenoasen.

FUSSBALL

Berti Vogts, genannt „Terrier", ging zwar schon als Spieler mit typisch schottischem Biss ans Werk, konnte der schottischen Nationalelf als Trainer aber kaum zu Erfolgen verhelfen. Doch nicht bloß über den Kampf finden die Schotten zum Spiel, sondern auch über die Konfession. Fußball ist Religion, vor allem in Glasgow. Zwischen dem von irisch-katholischen Einwanderern gegründeten Verein Celtic und den protestantisch dominierten Rangers wechselt die Meisterschaft hin und her. Wer durch den armen Glasgower Osten schlendert, sollte ein Bier in einem der grün ausgeflaggten Celtic-Pubs trinken. Mit hoher Wahrscheinlichkeit wird gerade das Video von 1967 gezeigt. Damals gewann Celtic Glasgow gegen Inter Mailand das Spiel um den Europapokal. Mehr unter *www.rangers. co.uk* oder *www.celticfc.co.uk*.

Farbtupfer: blühender Rhododendron am Loch Etive bei Oban

GÄLISCH

Vor allem die Äußeren Hebriden und die Westküste der Highlands sind Sprachnester, in denen das alte keltische Idiom noch gesprochen wird. Auf den westlichen Inseln sind Straßenschilder zweisprachig, es gibt gälische Radio- und TV-Sendungen wie auch Schulunterricht auf Gälisch. Rund ein Prozent der Bevölkerung beherrscht die Sprache fließend.

GESPENSTER

Wer mit William Shakespeare, Edgar Allan Poe oder Oscar Wilde aufgewachsen ist, wird sie lieben, die Atmosphäre aus Kettenrasseln und Schlösserstaub, flackernden Kronleuchtern und speckigen Ölbildern: Für Spuk bietet Schottland ein ideales Spannungsfeld. Da wäre z. B. das Cartland Bridge Hotel in Lanark. 1962 wurde das Privathaus in ein Hotel umgewandelt. Doch die Schritte, das Knarzen, der nächtliche Spuk hörten nicht auf. Es sei der Geist der kleinen Annie, der durch die Zimmer irre. Das Mädchen sei bei einem Reitunfall hinter dem Haus tödlich verunglückt und finde seitdem keine Ruhe mehr. Wer auf Geisterspuren wandern will, kann sich bei *www.visitscotland* über „Haunted Hotels" informieren.

KILT MOVIES

Für manchen begann die Entdeckung der schottischen Highlands mit einem Kinofilm: In dem 1985 produzierten Film „Highlander" rettet Christopher Lambert langhaarig und tartangewandet die Menschheit. *Kilt movies* wurden zum Blockbuster: „Rob Roy" z. B., den Michael Caton-Jones 1995 inszenierte, ein Kinofilm wie eine frische Brise aus der Werbung: kleegelbe Wiesen, klare Bäche, nebelumhüllte Gipfel. Das Scottish Tourist Board rieb sich die Hände, denn bald darauf wurden die Drehorte zwischen Loch Lomond und Balquhidder zum Pilgerziel für Cineasten. Aber auch die SNP, die Scottish National Party, so hieß es, habe einen Lieblingsfilm: „Braveheart". Das Oscar-prämierte Werk, in dem sich Mel Gibson wie ein Gladiator durch feindliche Reihen schlägt, hält für die Nationalisten eine besonders pikante Stelle bereit: Die Highlander heben ihre Röcke und präsentieren den verhassten englischen Truppen die blanken Hinterteile.

LITERARISCHES

In der schottischen Literatur gibt es ein unangefochtenes Dreigestirn: Sir Walter Scott, Robert Louis Stevenson und Robert Burns. Burns (1759–96), der Poet der Kneipen und Spelunken, ist Schottlands Nationaldichter. Zu seinen Ehren isst man am 25. Januar *haggis*, einen mit Innereien gefüllten Schafsmagen. „To a haggis" heißt die Ode an jene Speise, die durch Burns in ganz Schottland berühmt wurde. Sir Walter Scott (1771–1832) lebt in seinen historischen Romanen weiter. Und Robert Louis Stevenson (1850–94) hat u. a. mit seinem Roman „Die Schatzinsel" einen Platz in den Bücherregalen der Welt gefunden. Ein beliebter Autor des 20. Jhs. ist Alasdair Gray. Er schreibt Romane und

Geschichten, die er gelegentlich selbst illustriert. In astronomischen Auflagenhöhen schwebt über allen Joanne K. Rowling, die Autorin der „Harry-Potter"-Bücher.

SCHOTTEN-ROCK

Schottische Kerle tragen nicht nur Röcke, sondern rocken auch klangvoll. Das eine hat mit dem anderen nichts zu tun, aber der Name der Band Franz Ferdinand hat ja auch nichts mit deren Musik zu tun. Das Quartett aus Glasgow macht keine Habsburger Hofmusik, sondern Indie-Rock. Die typisch schottische Ouvertüre für die Gründung dieser erfolgreichen Scotrockband waren angeblich eine Schlägerei unter Alkoholeinfluss sowie ein Studium an der Glasgow School of Art, die auch bei anderen Schottenbands eine initiierende Rolle gespielt hat. Da auch die Gruppen Belle & Sebastian, Travis, Delgado, Mogwai und Idlewild aus dem Herzen des Landes stammen, muss man anerkennen, dass zwischen Glasgow und Edinburgh ziemlich häufig der richtige Ton getroffen wird. Der Sound klingt manchmal melancholisch, aber auch das ist eine schottische Tonart.

TARTAN UND KILT

Das gälische Wort *tartan* steht für einen Umhang aus kariertem Wollgewebe, genau wie das altskandinavische Wort *kilt*. Drei mal sechs Meter machen einen Rock, der Familienclan bestimmt das Muster, die kühle Witterung verlangt die Kniestrümpfe, kleinere Reparaturen erledigt das Messerchen im Strumpf. Eine perfekte Aufmachung für die armen Bewohner der sumpfigen Highlands, die aber ihr Outfit nach der verlorenen Schlacht von Culloden 1746 aufgeben mussten. Gefängnis und sogar Verbannung waren die Folge von Missachtung des neuen

> ## > SCHOTTISCH FÜR ANFÄNGER
> ### Zahlreiche Begriffe stammen aus dem Gälischen

aber: Flussmündung	*kyle:* Meerenge
aig: Bucht	*lassie:* Mädchen
bal: Dorf	*loch:* See
beag: klein	*pudding:* Wurst
ben: Berg, Gebirge	*rannoch:* Farn
bie, by: Gehöft	*sassenach:* Engländer
bonny: hübsch	*sgian dubh:* Kniestrumpfdolch
broth: Suppe	*strath:* weites Tal
cairn: Steinhaufen	*tarbert:* Landzunge
close: Gasse	*tattie:* Kartoffel
craig: Felsen	*trews:* Kiltunterhose
firth: Meeresarm	*vik, wick:* Bucht
glen: enges Tal	*voe:* Fjord, Sund

In den Destillierkesseln der Brennereien entsteht der berühmte Whisky

englischen Kleidererlasses. 1782 wurde der Rock wieder zugelassen, doch bis dahin waren die alten Muster bereits fast vergessen. Heute wird der Rock vor allem bei Hochzeiten getragen. Vivien Westwood verschaffte dem Männerrock das Entrée in die Modewelt. Wer einen Schotten nach dem Darunter fragt, dem schlägt der Kerl einfach ein Rad.

WHISKY

⭐ Vom dereinst schwarz gebrannten „Lebenswasser" hat sich der schottische Whisky in 500 Jahren zum nüchternen Exportschlager entwickelt. Nur ein paar Prozent der gesamten Whiskyvorräte werden als Maltwhisky exportiert, aber gerade der macht den Ruf Schottlands aus. Während Malt aus einer einzigen Destillerie kommt, sind die herkömmlichen Scotchsorten meist geschickt gemixte *blends*. Schottischer Whisky wird aus gerösteten Gerstenkeimlingen, heißem Wasser und Zucker hergestellt. Dabei wird zwar besonders auf den westlichen Inseln und in den Highlands vom Torf braun gefärbtes Bachwasser eingesetzt, die goldene Farbe erhält der Drink aber erst durch die Lagerung in alten Eichenfässern, in denen zuvor Sherry oder Bourbon reifte. Für die wissenschaftlich herausgefilterten, angeblich etwa 800 Geschmacksaromen sind das Wasser, die Formen der kupfernen Destillierkessel, das Fassholz und sogar die Umgebung bei der Reifung verantwortlich. Denn die luftdurchlässigen Fässer lassen zwar über die Jahre etwas Whisky verdunsten – *angels share*, „Anteil der Engel" genannt –, erlauben aber auch dem Aroma von Salzwasser und Seeluft hereinzuschlüpfen, wie etwa bei den Islay-Whiskys Laphroaig oder Lagavulin.

HÖHEPUNKT SIND „THE GAMES"
Wo die Schotten Baumstämme werfen und Boote verbrennen

> Wichtigstes Fest sind die Highland Games, sozusagen die Olympischen Spiele Schottlands, die von Juni bis September im ganzen Land stattfinden. Noch beliebter als die Games sind die zahlreichen lokalen Folkfestivals: *www.foot stomping.com/articles/festivals*

GESETZLICHE FEIERTAGE
1. Jan. *New Year's Day* (Neujahrstag); *Good Friday* (Karfreitag); **25./26. Dez.** *Christmas Day, Boxing Day* (Weihnachten). An *Bank Holidays* bleiben Banken und Institutionen geschlossen: 2. Jan., erster und letzter Mo im Mai, erster oder letzter Mo im Aug. Zusätzliche lokale Bankholidays gibt es im Frühling und im Herbst.

FESTE UND LOKALE VERANSTALTUNGEN
Januar
Im Jan.: *Glasgow Folk Festival*
25.: *Burns Supper*; im ganzen Land feiert man in Pubs und Restaurants den Geburtstag von Robert Burns mit Haggis, Whisky und seinen Gedichten
31.: *Up Helly Aa*; Feuerfest in Lerwick, Shetland, zu dessen Höhepunkt ein Wikingerboot feierlich verbrannt wird

April
Anfang April: *Edinburgh International Science Festival;* neue naturwissenschaftliche Entdeckungen und Forschungsergebnisse werden vorgestellt. *www.sciencefestival.co.uk*
2. Woche: *Shetland Folkfestival*
Letzte Woche: *Bute Jazzfestival;* mit viel Swing in den Frühling
Mitte April: *Edinburgh Folkfestival;* hier spielen die Stars der Szene

Mai
3. Wochenende: *Orkney Folk Festival* in Kirkwall und Stromness
Ende Mai: *Blair Atholl Highlands Gathering* mit der Parade der einzigen Privatarmee Schottlands, den Atholl Highlanders. *www.blairatholl.org.uk*
Ende Mai: *International Jazzfestival* in Glasgow

> EVENTS
FESTE & MEHR

Juni

2. Woche: *Folk Festival* in Arran

Insider Tipp Mitte Juni: *St. Magnus Festival;* auf Mainland Orkney feiert man eine Woche lang das Fest moderner klassischer Musik und schottischer Literatur, initiiert von dem ansässigen Komponisten Sir Peter Maxwell Davies und dem Autor George Mackay Brown

Letzte Woche: *Royal Highland Show* in Edinburgh; größte Landwirtschaftsausstellung Schottlands

Ende Juni: *Traditional Music Festival* in Dingwall

Juni–August

Insider Tipp *Common Ridings* an vielen Orten der Borders-Region an den Wochenenden: Mischung aus kostümiertem Reiterfest, Musikparade und Jahrmarkt, erinnert an die traditionellen Ritte um die Gemarkungsgrenzen. *www.scotborders.gov.uk*

Juli

Insider Tipp 2.Woche: *Skye & Lochalsh Festival;* größtes gälisches Fest

Mitte Juli: *Hebridian Celtic Music Festival;* bedeutendes Folkmeeting in Stornoway

Ende Juli/Anfang Aug.: *Hering Queen Festival;* in Eyemouth wird die Heringskönigin gewählt

August

Anfang Aug.: *Edinburgh International Festival;* ein Muss für Klassikfans: Drei Wochen lang geben Stars aus Klassik und Moderne Konzerte. Gleichzeitig findet das *Fringe Festival* statt, das sich vom „Rand" zur renommierten Mitte gemausert hat und Sprungbrett für junge Künstler ist: 700 Theatergruppen spielen an rund 200 Veranstaltungsorten: *www.edinburghfestivals.co.uk*

1. So: *Alternative Games;* in Parton werden Schafe anstelle von Baumstämmen geworfen

September

1. Sa: ⭐ *Royal Highland Gathering* in Braemar; hierher kommt die königliche Familie. *www.braemargathering.org*

22 | 23

> THE TASTE OF SCOTLAND

Die schottische Küche ist besser als ihr Ruf – probieren
Sie doch mal zarte Scallops oder herrlich mürbes Shortbread

> In Schottland beginnt man den Tag mit einem kräftigen Frühstück. Dazu darf auch *kipper* gehören, geräucherter Hering, oder *haddock*, Schellfisch. Nicht fehlen wird Haferbrei, *porridge*, oder *oatcake*, ein kräftiger Haferkuchen, der am besten auf Orkney gemacht wird.
Wer in Hotels übernachtet, darf auf das *continental breakfast* ausweichen. Selbst in vielen *bed & breakfasts* kommt inzwischen eine abgespeckte Frühstücksauswahl auf den Tisch.

Das schottische Mittagessen besteht dagegen nur aus einer kleinen Zwischenmahlzeit, z.B. einem Sandwich. Fast immer lohnt sich die hausgemachte Suppe in einem Pub. Oder versuchen Sie ruhig mal *fish & chips* aus dem Zeitungspapier!
Gemütlich wird's am Nachmittag beim traditionellen Highlight der schottischen Küche, dem *High Tea* zwischen 16 und 17 Uhr. Das ist kein zartes Tässchen grünen Tees mit

Bild: Scones mit Rosinen, Sahne und Blaubeeren

ESSEN & TRINKEN

Keks, sondern eine fast opulent zu nennende Mahlzeit. Zum Tee werden Sandwiches oder *scones* gereicht, kleine Teigteilchen, die mit Konfitüre und Sahne genossen werden. Sollte man sich später zu einem Dinner treffen (ab etwa 19 Uhr), müsste es am besten aus den Produkten der Insel bestehen, denn Schottlands Küche ist im Aufwind.

Jahrelang hatte sie mit ihrem schlechten Ruf zu kämpfen. Und tatsächlich stopfen etliche Schotten gedankenlos Cholesterin-Rekordwerte in sich hinein, beginnend mit dem mächtigen *Scottish breakfast*. Wirtschaftswachstum und ein florierender Tourismus in den Städten haben inzwischen jedoch für die Erweiterung des kulinarischen Angebots gesorgt. In Glasgow und Edinburgh gibt es von Sushi über Mexikanisch bis Vegetarisch alles – die wohlhabende Mittelschicht hat die gesunde und mediterrane Kost für sich entdeckt. Schicke italienische Restaurants sind abends garantiert voll, und in den Städten gibt es viele Delikatessgeschäfte, die schottischen Lachs neben italienischem Parmaschinken und Balsamico-Essig anbieten. Auch die normalen *fish & chips*-Buden sind noch im Kurs, man findet sie jedoch eher in kleineren Städten.

Die typisch schottische Küche? Sie hat sich ebenfalls positiv verändert. Der Grund dafür ist eine Rückbesinnung auf die hochwertigen Produkte aus dem eigenen Land. Einen Anstoß für die neue Kreativität am

> SPEZIALITÄTEN

Genießen Sie die typisch schottische Küche!

Arbroath smokies – geräucherter Schellfisch, der gerne noch warm gegessen wird; benannt nach einem Fischerort an der Ostküste.

Atholl brose – Whisky-Sahne-Punsch, traditionell zu Silvester serviert.

Cairnsmore – zart-nussiger Schafskäse, der sich hervorragend als Abschluss eines ausladenden Essens eignet.

Cock a leekie – kräftige Hühnersuppe mit viel Lauch, die gerne an den Küsten und auf den Inseln gegessen wird.

Haggis – Das schottische Nationalgericht erreichte durch die Haggishymne von Robert Burns Weltruhm. Fleisch, Brötchen, Gewürze, Eier, Mehl werden zu einer Art Teig verrührt und im Schafsmagen gekocht. Geteilter Meinung mag man über das Ergebnis sein,

aber das Probieren in einem guten Restaurant lohnt sich (Foto).

Hotchpotch – deftiger Eintopf aus Lammfleisch und verschiedenen Gemüsen, den man gerne in der Borders-Region isst.

Porridge – Fehlt auf keiner Frühstückskarte. Die gekochte Hafergrütze wird mit Zucker bestreut und noch warm gegessen.

Roastit Bubble-Jock – Weihnachtstruthahn, der traditionell mit Austern und Kastanien gefüllt wird.

Scallops – Die Jakobsmuscheln von der Westküste werden besonders gern auf den Hebriden angeboten; eine zarte, leichte Vorspeise.

Shortbread – kräftiger Mürbekeks aus Mehl, Maisstärke, Puderzucker und Butter. Er wird rund eine Stunde gebacken und muss heiß geschnitten werden, eben in *shortbreads*.

Stovies – Dieses Gericht verdankt seinen Namen dem *stove*, dem Herd, auf dem es zubereitet wird. Es ist ein Kartoffelauflauf, der traditionell mit Lammfleisch, aber auch mit Rindfleisch zubereitet wird. Das Ergebnis ist ein kräftiger, wärmender Eintopf, zu dem gerne ein Glas eiskalter Buttermilch serviert wird.

Herd gab u. a. Claire MacDonald. Sie tritt nicht nur im Fernsehen auf, sondern hat auch zahlreiche populäre Kochbücher verfasst. Schon lange bevor sich andere Köche zu den lokalen Produkten bekannten, plädierte sie für Pilze aus den Wäldern bei Kingussie und Rindfleisch aus den Highlands, propagierte das Fleisch der Aberdeen-Angusrinder, trat für Galloways, Longhorn, Shorthorn und Highland Cattle ein.

Seit der Rückbesinnung auf regionale Produkte braucht sich die schottische Küche nicht mehr zu verstecken. Das Lokal *The Peat Inn* auf der Halbinsel Fife wurde gar mit einem Michelin-Stern ausgezeichnet; **Insider Tipp** die *Loch Fyne Oyster Bar*, deren Stammhaus in Cairndow über eine eigene Austernzucht und eine eigene Fischräucherei verfügt, hat inzwischen landesweit mehr als 20 Filialen, und auch die Restaurants in Edinburgh und Glasgow werden von exzellenten Küchenchefs geführt, sind aber im Vergleich zu Europa teuer. Wer in Schottland genießen möchte, darf nicht in den sprichwörtlichen Geiz verfallen: Ein Menü ist hier rund 30 Prozent teurer als ein vergleichbares in Kontinentaleuropa.

Eine Spezialität der schottischen Küche ist Fisch. Auf einer Reise entlang der Ostküste stößt man immer wieder auf kleine Orte wie Arbroath. Da riecht es nach Holzkohle und Meer, im Hafen sind Fischkutter verankert, und Hummerfallen liegen am Pier. In den Räuchereien gibt es Heilbutt und Lachs, frisch gefangen, dann im Rauch gegart: köstlich! Die meisten Köche bevorzugen allerdings den Fisch von der Westküste. Hier ist die

Whisky lagert lange in Eichenfässern, bevor er in Flaschen abgefüllt wird

See sauberer, Hummer und Schalentiere haben eine hohe Qualität.

Was Schottland noch zum Glück fehlt, ist Wein. Die Kellermeister halten sich zwangsläufig an die internationale Auswahl aus Italien, Spanien, Südafrika oder Kalifornien – und natürlich aus Frankreich, denn in Leith, dem Hafen von Edinburgh, kamen seit jeher die besten Gewächse aus der Gegend um Bordeaux an.

Dazu passt auch ausgezeichnet ein Käse – und da darf es schottischer sein. Da gibt es z.B. den *Lanark blue*. Er sieht aus wie ein Gorgonzola: cremig-weiß mit bläulichen Einsprengseln. Er wird aus Schafsmilch hergestellt und stammt aus der Borders-Region. Nicht zu vergessen der *White Diamond* aus Galloway, ein Frischkäse, zart und mild und wunderbar zu Erdbeeren geeignet.

DER KILT IST KULT

Bei einer Shoppingtour bekennen sich auch Prominente zur uralten Tradition der Schotten

> Es soll mehr sein als ein Kilt aus Polyacryl, ein Strickpulli, der gleich einläuft, oder ein billiger Fusel, der das Wort Whisky nicht verdient? Sie kaufen am besten dort, wo die Produkte auch hergestellt werden – bei Kunsthandwerkern, bei Webern oder in den Destillerien.

TWEED

Auf den Äußeren Hebriden-Inseln Lewis und Harris wird seit Jahrhunderten Harris-Tweed hergestellt. Den kratzigen Stoff mit Fischgrät- oder Glencheckmustern verarbeiten Edinburghs Tuchmacher zu Sakkos und Westen. Am besten kauft man ihn auf Harris. Nur hier gibt es den originalen Tweed, der in London für das bis zu Zehnfache gehandelt wird. Viele Tweedweber wie z.B. *Donald John Mackay* arbeiten in einfachen Katen entlang der „Golden Road", der Küstenstraße auf Harris.

KASCHMIR

Fehlt noch der Landlordlook fürs Unterdrunter? Dafür sei auf die Kaschmirprodukte hingewiesen, das Beste, was man sich aus Schottland mitbringen kann. Diese weichen, leichten Pullover sind hier günstig, da die Wolle im großen Stil importiert wird. Besonders hochwertig sind die Produkte des Kaschmirwerks *Johnstons of Elgin*, die auch vor Ort gekauft werden können *(Visitor Centre | New Mill, Elgin | Mo–Do 10–16 Uhr | www.johnstonofelgin.com).*

DESIGN

In Glasgow und Edinburgh ist junges Design angesagt. *Katty Barac* z.B. hat zahllose Bars in Glasgow eingerichtet. Sie führt einen kleinen Laden in der High Street von Glasgow, in dem man ihre berühmten Polyäthylensessel und die zarten Bone-China-Lampen bestellen kann *(One Foot Taller | 256 High St. | ww.one foottaller.com).* Nicht minder erfolgreich sind die Designer von *Timorous Beasties.* Sie drucken schottische Landkarten auf Tapeten und Lampen oder riesige Insekten auf Kissenbezüge und verschicken ihre Prints auf Bestellung auch nach Europa und Übersee *(384 Great Western*

> EINKAUFEN

Road Glasgow | *www.timorousbeas
ties.com*). Arbeiten junger schottischer
Designer vertreibt die Kooperative *Con-
crete Wardrobe* in Edinburgh. Fiona Mackintosh und James Donald bieten eine
pfiffige Auswahl von Accessoires, Mö-
beln und Kleidung *(317 Cowgate |
ww.concretewardrobe.co.uk)*.

KILTS

Der Kilt ist ein knielanger Rock für Männer
und ein bequemes Stück Kleidung. Das
finden heute auch wieder die jungen
Schotten und tragen ihn – ganz traditionell
– gerne auf Hochzeiten und Festen. Auch
in den Städten lebt er wieder auf, wenn
auch in weniger traditioneller Ausführung:
aus schwarzem Leder z.B. aus Seide oder
gar aus PVC. Auch Vin Diesel und Robbie
Williams erwärmten sich bei ihren Schott-
landbesuchen für das Karogewand. Tolle
Kilts, klassisch bis ausgeflippt, findet man
in *Howard Nickelby's* Geschäft auf der
Royal Mile. *21st Century Kilts | 61 High
Street, Edinburgh | Tel. 0131/557 02 56 |
www.21stcenturykilts.com*

WHISKY

Und zum Abschluss? Natürlich ein Whisky!
Zu empfehlen sind meistens jene, in deren Region man sich gerade befindet –
denn jede Brennerei nutzt das Wasser aus
den umliegenden Quellen und natürlich:
die klare, schottische Luft. Aus der Flut der
verkaufsfördernden Destillerieführungen
ragen drei heraus. Bei *Highland Park'* 18-
year-old in Kirkwall auf Orkney erlebt
man die spannendste Führung – vor allem
weil man im Keller noch einen Teil der
Gerste selber auslegt und zum Keimen
bringt *(floormalting)*. *Edradour*, bei
Pitlochry, ist die kleinste und putzigste
Destillerie, der gute Tropfen netzt die Kehlen
der Oberhaus-Lordschaften als *House of
Lords*. Die Touren und der Einkauf auf der
Insel Islay in den Destillen von *Lagavulin*,
Laphroaig, *Ardbeg* und *Coal Isla* sind ein
Muss für jeden Fan von torfig munden-
dem Whisky. Die Lage am Meer und die
mit Anekdoten angereicherten Führungen
machen den Einkauf leicht *(www.high
landpark.co.uk, www.edradour.co.uk,
www.islaywhiskysociety.com)*.

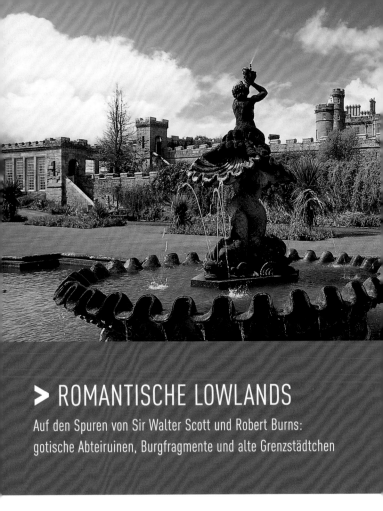

> ROMANTISCHE LOWLANDS

Auf den Spuren von Sir Walter Scott und Robert Burns:
gotische Abteiruinen, Burgfragmente und alte Grenzstädtchen

> Die schönste Anreise nach Schottland ist die Autofährroute von Amsterdam nach Newcastle upon Tyne im nordöstlichen England. Hier beginnt die römische Grenzziehung, der heute noch sichtbare Hadrianswall, der bei Carlisle im Nordwesten Englands endet.

Die Römer kontrollierten so die Einfälle kriegerischer Pikten und Skoten aus dem heutigen Schottland. Von den Kämpfen zwischen Engländern und Schotten gut 1000 Jahre später künden

Burgruinen wie *Caerlaverock Castle* bei Dumfries und Verteidigungstürme wie der *Smailholm Tower* in den hügeligen Lowlands oder Southern Uplands, wie die Gegend von Edinburgh bis Glasgow auch genannt wird.

Im Vergleich zu den menschenleeren Highlands sind die Lowlands von schönen Städtchen wie Melrose, Jedburgh und Kelso geprägt, in denen romantische Abteiruinen von der katholischen Vergangenheit Südschottlands

Bild: Culzean Castle

DER SÜDEN

künden, wo Landsträßchen Fahrradfahrer anlocken und der *Southern Uplands Way* Wanderer anzieht. Die Lowlands sind in die westliche Region Dumfries und Galloway und in die östlichen Borders unterteilt. Im Westen kann man auf den Spuren des Nationalpoeten Robert Burns reisen. In Galloway sind besonders die vom Golfstrom temperierten Küsten sowie der große *Galloway Forest Park* einen Abstecher wert. In die Borders locken die Romane von Sir Walter Scott, der von seinem Schreibtempel *Abbotsford* aus den Schottland-Bazillus in die Welt setzte.

BORDERS-REGION

Im Südosten Schottlands erstreckt sich zwischen Edinburgh, Moffat und der englischen Grenze ein saftig-grünes Hügelland

von großer landschaftlicher Schönheit und voller Zeugnisse der turbulenten Geschichte. An den Flüssen Tweed, Esk, Teviot und Ettrick kann man den Fliegenfischern zusehen. Die romantischen Anblicke von frühgotischen Abteiruinen, Traumschlössern und befestigten Wohntürmen in und um die Städtchen Melrose, Jedburgh, heute profitieren Schottland-Tourismus, Hollywood-Epen und Opern von seiner Arbeit.

■ SEHENSWERTES ■

ABBOTSFORD HOUSE ★   [115 E3]

Der Romancier Sir Walter Scott (1771–1832) ließ das Anwesen am Tweed 1812 zu einem Traumschloss

Im Abbotsford House: Sir Walter scheint eben von seinem Schreibtisch aufgestanden zu sein

Kelso, Selkirk und Peebles stehen in reizvollem Kontrast zu erwanderbaren wilden Höhepunkten wie dem Wasserfall *Grey Mare's Tail* und den Seeklippen von *St. Abb's Head*. In der oft lieblichen Borders-Szenerie ebenso wie in der blutigen Geschichte von erbitterten spätmittelalterlichen Grenzkriegen mit England fand Sir Walter Scott endlose Inspiration für seine Historienromane. Noch

mit zahlreichen Türmchen umbauen. Hier steht noch Scotts Schreibtisch, von dem aus er mit 40 Romanen und vielen Geschichten auch das deutsche Publikum eroberte. Seine Themen entstammen schottischer Folklore („Das Leid von Lammermuir", von Donizetti als Oper vertont; „Das Herz von Midlothian", die „Waverley"-Romane); sein Schaffensdrang entsprang allerdings auch einem großen Schuldenberg. Sammelstücke wie das Schwert des Freiheitskämpfers Rob Roy, der Becher von Bonnie Prince Charles und unzählige andere Memorabilia wurden zu Ikonen des schottischen Geschichtsbewusstseins. Auch Theodor Fontane reiste her, mokierte sich jedoch über das vollgestopfte Märchenhaus. Doch gerade wegen dieser Authentizität des Scottschen Domizils kommt alle Welt und schaut. Und erfährt, dass der Vielschreiber sich in dieser Idylle wohl buchstäblich um die Gesundheit schrieb. Des Dichters liebster Ausflug ging zu einem schönen Ausblick in die nahen Eildon Hills, der seither 🌿 *Scott's View* heißt. *4 km südöstlich von Galashiels | März–Okt. Mo–Sa 9.30–17, So 14–17 Uhr | £6 | www.scottsabbotsford.co.uk*

A 708 ⭐ [114–115 C–D 3–4]

Eine Traumstraße: Fährt man die A 708 von Moffat aus in Richtung Galashiels und der Borders-Abteien, wähnt man sich schon in den Highlands. Am gebirgisten ist die Szenerie am Wasserfall *Grey Mare's Tail*, den es sich bis zur Quelle im Loch Skeen hochzuwandern lohnt. Dem steilen Aufstieg können Sie oben ein romantisches Picknick und sogar ein Bad im See folgen lassen. Der 🌿 Ausblick auf dem Rückweg ist grandios. 8 km weiter sollten Sie unbedingt für einen Kaffee ins kleine Landgasthaus *Tibbie Shiel's Inn (St. Mary's Loch | €)* einkehren. In der gemütlichen Stube saßen schon Sir Walter Scott und der bedeutende Autor James Hogg (1770–1835) zusammen. Hoggs Statue überblickt das entzückende *St. Mary's Loch*.

Insider Tipp

DRYBURGH ABBEY [115 E3]

Hier ruht Sir Walter seit 1832 unter mächtigen Zedern. Die romantischste der Borders Abbeys ist eine frühgotische Prämonstratenserabtei von 1150 und liegt am Fluss Tweed. *8 km südöstlich von Melrose | Zeiten und Website wie Jedburgh Abbey | £4,50*

HERMITAGE CASTLE [115 D4]

Insider Tipp

Die einsame Landschaft der Umgebung lässt die wuchtigen Mauern der umwallten Burg aus dem 13. Jh noch gewaltiger erscheinen. Hier kann man sich die erbitterten Grenzkriege

MARCO POLO HIGHLIGHTS

⭐ **Abbotsford House**
Wo Sir Walter Scott Schottland neu erfand (Seite 32)

⭐ **A 708**
Eine Landstraße, die ständig zum Aussteigen animiert (Seite 33)

⭐ **Jedburgh Abbey**
Die alte Grenzlandabtei der Augustiner ist noch fast wie neu (Seite 34)

⭐ **St. Abb's Head**
Seevogelkolonie an der Ostküste mit Hitchcock-Touch (Seite 35)

⭐ **Traquair House**
Uraltes Countryhouse mit History & Beer (Seite 35)

⭐ **Caerlaverock Castle**
Schottlands schönste Burgruine bei Dumfries (Seite 38)

gut vorstellen, ebenso wie düstere Shakespeare-Szenerien. Um ihren verletzten Liebsten Bothwell zu pflegen, ritt Mary, Queen of Scots, 1566 hierher, was sie selbst fast umbrachte. *10 km südlich von Hawick | April–Sept. tgl. 9.30–17.30 Uhr | £ 3,50 | www.historic-scotland.gov.uk*

JEDBURGH ABBEY ⭐ [115 E3-4]

Die besterhaltene, beeindruckendste Abteiruine im Drei-Abteien-Eck der Borders. Seit dem 12. Jh. führten hier die Augustiner ihr Klosterleben. Eine Audiovision und Ausgrabungsstücke bringen Sie zurück in die Vergangenheit. *Jedburgh | April–Sept. tgl. 9.30–17.30, Okt.–März Mo–Sa 9.30–16.30, So 14–16.30 Uhr | £ 5 | www.historic-scotland.gov.uk*

THE JIM CLARK ROOM [115 E2]

Trophäen, Fotos und Souvenirs erinnern an den legendären schottischen Rennfahrer und zweifachen Weltmeister (1963, 1965), der 1968 auf dem Hockenheimring tödlich verunglückte. *März–Sept. Mo–Sa 10.30–13, 14–16.30, So 14–16 Uhr | £ 1,50 | 44, Newtown Street, Duns*

MELROSE [115 D-E3]

Mitten im schönsten Örtchen der Borders liegt die Ruine der 1136 von König David I. für französische Zisterzienser errichteten Abtei mit einem Platz für das angebliche Herz des Nationalhelden Robert the Bruce. Im Ort beginnt ein 9 km langer Wanderweg durch die umliegenden ☄ *Eildon Hills*, von denen der Blick auf den Fluss Tweed und die Abtei verzaubert. *April–Sept. tgl. 9.30–17.30 Uhr, Okt.–März Mo–Sa 9.30–16.30, So 14–16.30 Uhr | £ 5*

SMAILHOLM TOWER [115 E3]

Bestes Beispiel für die befestigten Borders-Wohntürme aus dem 15. Jh. In dem weithin sichtbaren Ausrufezeichen aus der Zeit der Grenzkriege

> BLOGS & PODCASTS
Gute Tagebücher & Files im Internet

> *www.holidayscotland.org.uk/blog* – Interessant für die individuelle Reiseplanung ist die Site sowieso, durch das Blog (mit Archiv) wird sie noch detaillierter und persönlicher.

> *www.scotland.com/blog* – Im Blog der Service-Site gibt es Infos, Historisches und Meinungen, die schon vor Reiseantritt empfehlenswert sind.

> *www.scotlandthisplace.com/scoticast* – Blog zur schottischen Kultur.

> *www.visitscotland.com/sitewide/edinburghpodcast* – Wer sich über Edinburgh informieren will und den schottischen Dialekt kennenlernen möchte, klickt hier.

> *www.heartbeatguides.com/travelguide-mp3-scotland.html* – Gute schottische Reise-Audioführer.

> *www.limmy.com/podcasts/worldofglasgow* – Sorgt für Glasgow-Slang und exzessive Unterhaltung.

Für den Inhalt der Blogs & Podcasts übernimmt die MARCO POLO Redaktion keine Verantwortung.

Gut erhalten ist die Kirche des Augustinerklosters Jedburgh Abbey

ist eine Ausstellung von Teppichen und Kostümen zu sehen. *April–Sept. tgl. 9.30–17.30 Uhr, Okt.–März Mo–Sa 9.30–16.30, So 14–16.30 Uhr | £3,50 | 9 km westlich von Kelso*

ST. ABB'S HEAD ⭐   [115 F2]

Hier ist die Ostküste dramatisch, und Tausende Seevögel hausen in den Grasabhängen und Klippen. Eine der schönsten *coastal wildlife reserves* (viele Schmetterlinge!) Schottlands, die am herrlichsten im Morgennebel oder im Abendlicht zur Geltung kommt. Am besten übernachtet man im nahen Eyemouth oder in Coldingham. *10 km nördlich von Eyemouth*

TRAQUAIR HOUSE ⭐   [115 D3]

Von etwa 1100 an gibt es das von einem schönen Park umgebene, gemütliche Landhaus, ursprünglich ein Jagdhaus. Seit Jahrhunderten wohnt hier die jakobitisch-katholisch gesinnte Familie Maxwell-Stuart. Natürlich schlief auch Mary, Queen of Scots, hier. Was über die Jahre gesammelt wurde, ist in Teilen ausgestellt – kaum Kitsch, oft fesselnd. Den Ausflug komplettiert ein Glas vom Haus-Ale im lauschigen Biergarten. *April–Okt. tgl. 12–17 Uhr | £5,80 | www.traquair.co.uk | Innerleithen*

■ ESSEN & TRINKEN

MARMION'S   [115 D–E3]

Entspanntes Bistro gegenüber von Melrose Abbey. Lecker, besonders die Salate. *So geschl. | Buccleuch Street | Melrose | Tel. 01896/82 22 45 | €€*

■ ÜBERNACHTEN

CASTLE VENLAW

Das Hotel ist eine romantische Burg, mit einem Turm, Himmelbett-Suiten und einer urigen Bar. *Edinburgh Road, Peebles | Tel. 01721/72 03 84 | www.venlaw.co.uk | €€€*

Insider Tipp **CHURCHES HOTEL AND RESTAURANT** [115 E3]

Das Boutiquehotel (erbaut 1790, im Jahr 2000 zuletzt modernisiert) liegt zwischen mehreren Kirchen in einem Fischereiort an der Ostküste nahe St. Abb's Head. Etwas schräge Atmosphäre, gemütlicher Wintergarten mit Hafenblick, in dem ausgezeichnete Seafood-Kochkunst (€€–€€€) serviert wird. In dem kleinen Hotel wird auch gerne geheiratet. *6 Zi. | Albert Road, Eyemouth | Tel. 01890/75 04 01 | www.churcheshotel.co.uk | €€*

EDENWATER HOUSE [115 E3]

Den diskreten Gastgebern Jeff und Jacqui Kelly merkt man die Freude des Gastgebens an. Jacqui kocht wundervoll (€€), und die ruhige Atmosphäre des alten Pfarrhauses mit einem schönen Garten sowie die freundlichen Zimmer sorgen dafür, dass man gerne noch länger bleiben würde. Mit Raucherlounge! *4 Zi. | Bridge Street, Ednam bei Kelso | Tel. 01573/22 40 70 | www.edenwater house.co.uk | €€*

FREIZEIT & SPORT

TWEEDHOPE HÜTEHUNDE [115 D3]

Für Viv Billingham sind Border Collies keine Haustiere. Die charismatische Autorin und Hundezüchterin zeigt am idyllischen St. Mary's Loch, wie der Hüteinstinkt der Collies von klein auf erkennbar ist. Es mutet fast wie Ballett an, wenn Viv ihre Hunde mit Kommandos und Pfiffen dazu bringt, eine Schafherde zu lenken und beisammen zu halten. Und sie erzählt von alten Zeiten, als Herden oft über Hunderte von Kilometern zu den Märktplätzen getrieben wurden. *St. Mary's Loch | nach Terminabsprache | Tel. 01750/422 48 | £5 | www.border collierescue.org/vivbillingham*

AUSKUNFT

In allen erwähnten Städtchen gibt es *Tourist Information Centres. www. visitscottishborders.com*

Fachmänner unter sich: Besucher der Landwirtschaftsschau in Dumfries

DUMFRIES

[114 B–C5] **Das größte Städtchen des Südwestens hat 33000 Einwohner. Dumfries liegt beschaulich am River Nith, der 20 km weiter in den Solway Firth mündet.** Der schottische Nationalpoet Robert Burns verbrachte hier seine letzten Lebensjahre. Man sollte in seiner Stammkneipe *Globe Inn* einige seiner schwärmerischen Liebesverse lesen.

■ SEHENSWERTES ■

BURNS' HOUSE

Der Schriftsteller und Dichter Robert Burns (1759–96) wohnte die letzten drei Jahre seines Lebens in diesem Sandsteinhaus. Der Vater von zwölf Kindern musste als Steuereintreiber arbeiten. Da seine Frau Jean Armour noch bis 1834 hier lebte, müsste das Haus eher nach ihr benannt sein. Zu sehen sind Burnssche Memorabilia und sein Arbeitszimmer. *Burns Street | April–Sept. Mo–Sa 10–17, So 14–17 Uhr; Okt.–März Di–Sa 10–13 und 14–17 Uhr | Eintritt frei*

DUMFRIES MUSEUM ☆

Das regionale Museum hat ein besonderes Highlight: In einem alten Windmühlenturm ist eine Camera obscura eingebaut, die bei gutem Wetter lohnenswerte Panoramablicke auf die Stadt eröffnet. *April–Sept. Mo–Sa 10–17, So 14–17 Uhr | £1,90*

ROBERT BURNS CENTRE

Wer sich in das Leben und Wirken von Robert Burns vertiefen möchte, tut dies am besten in dieser Ausstellung in einer alten Mühle; mit Café. *Mill Road | April–Sept. Mo–Sa 10–20, So 14–17 Uhr | Eintritt frei*

Porträt des Dichters Robert Burns

■ ESSEN & TRINKEN ■

GLOBE INN

Ein Bier in Burns' Lieblingskneipe ist ein Muss für seine Fans. Wer sich allerdings auf den alten Stuhl des Nationaldichters setzt, sollte am besten gleich eine Lokalrunde bestellen. *56 High Street | Tel. 01387/25 23 35 | €*

■ ÜBERNACHTEN ■

ABBEY ARMS ☆

Insider Tipp

Das Countrypub liegt außerhalb von Dumfries in einem winzigen Dorf bei der wundervollen Ruine der *Sweetheart Abbey*, hat dafür aber mehr Atmosphäre als Stadtunterkünfte. Nette Zimmer, freundliche und zivilisierte Trinker an der Bar und ein großartiger Blick auf den Berg Criffel. *6 Zi. | New Abbey | Tel. 01387/85 04 89 | €*

■ AUSKUNFT ■

DUMFRIES & GALLOWAY TOURIST BOARD

64 Whitesands | Dumfries | Tel. 01387/25 38 62 | Fax 24 55 55 | www.visitdumfriesandgalloway.co.uk

■ ZIELE IN DER UMGEBUNG ■

CAERLAVEROCK CASTLE ★ [114 C6]

Romantik pur: 13 km südlich von Dumfries liegt diese prachtvolle, dreieckige Wasserburgruine. Sie stammt aus den Zeiten der mittelalterlichen Grenzkriege, hat trutzige Verteidigungsmauern (die Schäden im

CULZEAN CASTLE ☼ [113 D3]

Dramatik pur: Auf einer Klippe 70 km nordwestlich von Dumfries thront das 1775 für die Partys der Hausherrn umgebaute stattliche Herrenhaus. Vom Landschaftsgarten schreitet man in das elegante Innere mit kühn geschwungener Treppe und Farbgebung.

Caerlaverock Castle ist der Inbegriff einer mittelalterlichen Trutzburg

Mauerwerk entstanden vermutlich in einer letzten Belagerung durch Kanonen) und eine im 17. Jh. eingefügte wohnliche Renaissancefassade – ein *Insider Tipp* romantischer Picknickspot für den Abend. Nebenan lockt ein riesiges Vogelschutzgebiet im Marschland des Solway Firth zum Spazierengehen. Beides auch Ziele für den Winter. *Glencaple | April–Sept. tgl. 9.30– 17.30 | Okt.–März 9.30–16.30 Uhr | £5 | www.historic-scotland.gov.uk*

Die Brüstung neben dem Haus badet abends im Sonnenuntergang und lockt auch Einheimische an. *April–Okt. tgl. 10–17.30 Uhr | Eintritt frei | www. culzeanexperience.org*

GALLOWAY FOREST PARK [113 E4]

Natur pur: Der größte Forest Park Großbritanniens bei Newton Stewart lädt zur Wanderung zum *Bruce's Stone* am Loch Trool, der an den Schlachtensieg des Nationalhelden

Robert the Bruce 1307 über die Engländer erinnert. Im *Visitors Centre* gibt es neben Infomaterial auch kleine Snacks und Kuchen *Frei zugänglich | www.gallowayforestpark.com*

GLENKILN RESERVOIR [114 B5]

Kunst in der Natur: An einem See bei Shawhead ließ ein Industrieller Skulpturen von Moore, Rodin und Epstein aufstellen – Weltklasse! Weil einige Werke versteckt stehen, werden die Besucher zudem zum Wandern animiert. *17 km westlich von Dumfries, bei Shawhead*

GRETNA GREEN [115 D6]

Die weltbekannte Heiratsschmiede, in der man sich seit dem 18. Jh. ohne elterliches Placet das Ja-Wort geben durfte, hat auch heute noch Konjunktur. Allerdings ist Heimlichkeit seit 1940 verboten. *Old Blacksmith's Shop | www.gretnagreen.org | ca. 25 km südöstlich von Dumfries*

LOGAN BOTANIC GARDENS [113 D6]

Subtropische und tropische Pflanzen gedeihen im äußersten Südwesten, wo der Golfstrom diesen wunderbaren Garten entscheidend temperiert *(März–Okt. tgl. 10–17 Uhr | £ 3,50)*. Ein weiterer Grund für den Abstecher ist das ausgezeichnete Landhotel *Knockinaam Lodge (10 Zi. | Portpatrick | Tel. 01776/81 04 71 | www.knockinaamlodge.com | €€€ | 5-Gänge-Menü €€ – €€€ | unbedingt buchen!)*. In der Bar gibt's über 150 Whiskysorten.

SCHOTTISCHE RIVIERA [114 B-C6]

Die Küstenstraße 710 von Dumfries nach Castle Donglas führt entlang der schottischen Riviera und vorbei an sanften Buchten, schönen Stränden und wunderbaren Ausblicken. Der eigentümlich geformte, schneeweiße Leuchtturm von Southerness ist einen Abstecher wert. In Rockcliffe sollte man den Wagen parken und eine 2 km lange Wanderung entlang einer Bucht bis nach Kippford unternehmen, wo zum Abschluss im *Anchor Inn (Tel. 01556/62 02 05 | €)* am kleinen Hafen ausgezeichnetes Barfood serviert wird.

> HERZLICH, HUMORVOLL, HEMDSÄRMELIG

Die reiche Schiffsbaustadt begann zu dümpeln – heute
schwimmt sie sich als Kulturmetropole frei

> **In der 750 000-Einwohner-Stadt [114 A2] pulsiert das Leben traditionell laut und heftig. Glasgows Blüte begann vor 200 Jahren mit der Vertiefung des Clyde zu einem schiffbaren Fluss von der Mündung bis zur 30 km entfernten Stadt.**
Als britisches Zentrum für Schiffsbau erarbeitete sich die größte schottische Stadt Reichtum. Die glänzende Seite dieser Geschichte ist an den zeitgenössischen Grabmonumenten auf dem Friedhof *Necropolis* abzulesen. Die graue Seite waren die Gorbals, die tristen Arbeiterviertel, von denen auch heute noch hässliche Wohnblocks im East End künden.

Das Ende des Schwerindustriezeitalters traf eine Stadt, die schon immer auf ihre pragmatische Wandlungsfähigkeit stolz gewesen ist – ein Kontrast zum eher konservativen, im immergleichen Stil gereiften Edinburgh. Seit den 1980ern steht Glasgow wieder auf und definiert sich

Bild: Das Clyde Auditorium in Glasgow

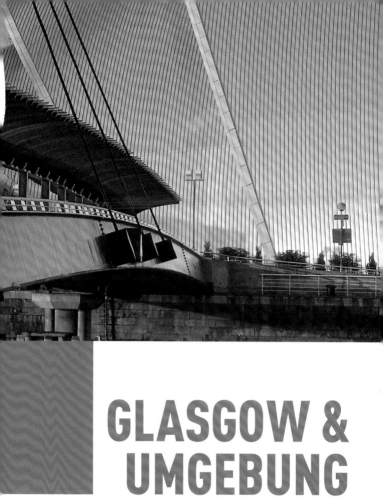

GLASGOW & UMGEBUNG

neu. Dabei hilft der traditionell kommunikative Charakter der hemdsärmeligen *Glaswegians*, den auch Reisende verstehen, die mit dem starken Glasgower Akzent zu kämpfen haben. Hinzu kommen Humor, Kreativität und Hilfsbereitschaft.

Der noch laufende Umbau zu einer Dienstleistungs- und Kulturmetropole zeigt bereits Früchte, ohne dass die Stadt darüber ihre Authentizität verliert. Am Clyde entstehen moderne Gebäudekomplexe und schwungvolle neue Brücken. In der City bieten Shoppingzentren wie *Princess Square* trendiges, ausländisches Design aller Art. Die herrlichen klassizistischen, viktorianischen und Jugendstilfassaden der Gebäude wurden entstaubt. Inzwischen bestimmen 100 000 Studenten den Puls der Stadt. Der Sektor Design beschäftigt acht Prozent der arbeitenden Bevölkerung. 1990 war die ehemalige Malocherstadt Kulturhauptstadt Europas, 1999 Großbritanniens Architektur- und Designmetropole. Selbst der bis dato fast nur im Ausland gefeierte Jugendstilarchitekt Charles Rennie Mackintosh wurde wiederentdeckt. Absolventen der von ihm in funktio-

sche Kunstrichtung. Der Schwerpunkt liegt auf Bildender Kunst, Film, Musik, Tanz und Performances – aber wer einfach einen Kaffee trinken will, ist hier ebenso willkommen. *350 Sauchiehall Street | Tel. 0141/332 75 21 | www.cca-glasgow.com*

Stolze Löwen flankieren den Eingang des Rathauses am George Square

nellem Design genial durchgeplanten *Art School* sind weltweit angesehen. Auch Musik aus Glasgow – wie die Band Franz Ferdinand – macht Furore. Reisenden bereitet die Stadt einen warmherzigen Empfang, gepaart mit rauem, „maskulinem" Charme.

■ SEHENSWERTES ■

CENTRE FOR
CONTEMPORARY ARTS (CCA) 🔊
Das Centre ist Brutkasten und Schaufenster für beinahe jede zeitgenössi-

CLYDE AUDITORIUM
„Gürteltier" nennen die Glasgower seiner Form wegen das von Sir Norman Foster entworfene Konzertgebäude am Clyde. Allein deshalb lohnt der Ausflug an die renovierten Clyde-Ufer. *Stobcross Quay*

GEORGE SQUARE
Der zentrale Platz Glasgows ist von Statuen von Dichtern und gekrönten Häuptern eingerahmt. In der Mittagspause nehmen viele Angestellte hier

einen Snack. Dominiert wird der Platz vom Rathaus *City Chambers*, das aus schottischem Granit und italienischem Marmor gebaut ist – unbedingt reinschauen! Eine Straßenecke südlich von hier liegt die ▶▶ *Merchant City* zwischen Ingram Street und Tron Gate. Hier findet man coolen Chic mit netten Cafés, Restaurants und Boutiquen. Treffpunkt der jungen Business- und Design-Szene.

GLASGOW SCHOOL OF ART ⭐
Am besten, Sie gehen erst einmal um diese 1896 von Mackintosh errichtete Kunstschule herum. Und werfen dann einen Blick hinter die herrlichen Fassaden. Dabei bekommen Sie einen guten Einblick in das komplette Designkonzept des Meisters – und schnuppern in die heutige Atmosphäre der renommierten Schule rein. *Kostenlose Führungen Mo–Fr um 11 und 14 Uhr, Sa 10.30–13 Uhr | Ende Juni Woche der offenen Tür | 167 Renfrew Street | Tel. 0141/353 45 26 | www.gsa.ac.uk*

HUNTERIAN MUSEUM AND ART GALLERY
Geologie, Archäologie und Sozialgeschichte, dazu eine schöne Gemäldesammlung. Herausragend ist das *Mackintosh House*, eine Rekonstruktion des Ateliers von Charles Rennie Mackintosh – Design pur. *Mo–Sa 10–17, So 14–17 Uhr | Eintritt frei | University Avenue | Kelvingrove | www.hunterian.gla.ac.uk*

KELVINGROVE ⭐
Der wichtigste der etwa 70 Parks in der grünen Stadt. Der kleine Fluss Kelvin mäandert hindurch, vorbei am Glasgow Museum and Art Galleries, dem Hunterian Museum und der viktorianisch-baröckelnden Universität, 1864 erbaut vom englischen Architekten Sir Gilbert Scott. Der Park liegt am West End der Stadt. Östlich an den Park grenzen die von Charles Wilson 1854 konzipierten Wohnhäuser der betuchten Bürger der Stadt an. Den Kelvin kann man schön etwa 10 km aus der Stadt hinaus nach Westen entlangspazieren. *Kelvin Way/Sauchiehall Street*

KELVINGROVE ART GALLERY & MUSEUM
Seit der Neueröffnung 2006 ist das barocke rote Sandsteingebäude ein Besuchermagnet geworden. Interaktiv und informativ gibt es hier große Kunst, Naturgeschichte und einen

MARCO POLO HIGHLIGHTS

⭐ **Glasgow School of Art**
Im Jugendstil-Meisterwerk von Mackintosh werden die Künstler von morgen ausgebildet (Seite 43)

⭐ **Kelvingrove**
Der Stadtpark mit Fluss, Universität und Museen überstrahlt die zahlreichen Grünanlagen der Stadt (Seite 43)

⭐ **Bute**
Ursprünglich das Wochenendziel der Großbürger: Glasgows Fluchtinsel mit Mount Stuart House (Seite 48)

⭐ **Hill House**
Von Mackintosh gebautes und bis ins Detail durchgestyltes Wohnhaus (Seite 49)

Exotische Flora unter Glas: die Winter Gardens des People's Palace

NECROPOLIS ⚜

Vom riesigen Hügelfriedhof nahe der Glasgow Cathedral hat man einen guten Weitblick. Und einen Rückblick auf die Sorgfalt, mit der das Bürgertum der Gründerzeit sich mit viel gotischen und klassizistischen Ornamenten beerdigen ließ. Alles schön im Schatten des Obelisken vom gestrengen anglikanischen Moralprediger John Knox. *Castle Street*

PEOPLE'S PALACE

In dem 1898 eröffneten Kuppelgebäude mit dem wunderbaren viktorianischen Glashaus im Volkspark Glasgow Green ist die bewegte Stadtgeschichte facettenreich dargestellt. Nebenan kann man die gewonnenen Einsichten bei einem Tee unter Palmen sacken lassen. *Mo–Do, Sa 10–17, Fr/So 10–18 Uhr | Eintritt frei | Glasgow Green, East End*

▮ ESSEN & TRINKEN ▮▮▮

THE BUTTERY

Altmodisch, aber angesagt. Seit 1856 wird hier serviert (und renoviert), und das immer schon vom Feinsten. Die etwas enge Wohnzimmeratmosphäre ist auch bei jungen Glaswegians beliebt. *So/Mo geschl. | 652 Argyle Street | Tel. 0141/221 81 88 | €€–€€€*

CORINTHIAN

Zentral in der Merchant City liegt dieser prächtige Food-Tempel mit wunderbaren Räumen und inspirierender Fusion-Küche: Stilmix zwischen Eleganz und Großstadtlässigkeit. Zumindest einen Lunchbesuch wert. *Tgl. | 191 Ingram Street | Tel. 0141/552 11 01 | €€*

zeitgenössischen Blick auf das schottische Leben zu sehen. *Mo–Do, Sa 10–17, Fr/So 11–17 Uhr | Eintritt frei | Argyle Street, Kelvingrove*

THE LIGHTHOUSE ⚜

Mackintoshs 1895 entworfenes, sechsstöckiges Gebäude für die Tageszeitung „The Glasgow Herald" wurde 1999 als *Scotland Centre for Architecture, Design and the City* neu eröffnet. Der Turmbau bietet tolle Aussichten über die Stadt, es gibt einen Designshop, regelmäßig Ausstellungen, ein Infozentrum zum Architekten und ein Café. *Mitchell Lane/Buchanan Street | Mo–Sa 10.30–17.30, Di bis 23, So 12–17 Uhr | £3 | www.thelight house.co.uk*

GLASGOW & UMGEBUNG

GANDOLFI
Alteingesessene Großstadtbar in der Merchant City von zeitloser Eleganz und verführerischer Gemütlichkeit. Hier trifft man sich im weichen Licht, das durch bunte Bleiglasfenster fällt. Oben drüber gibt's ein neues Café, beide servieren leckere Salate und Speisen. *Tgl.* | *64 Albion Street* | *Tel. 0141/552 68 13* | *€–€€*

MOTHER INDIA
Wohl der beste Inder nördlich von London. Man lässt sich verführen von duftenden Ingredienzen, trinkt indisches Bier und darf seinen eigenen Wein mitbringen. *Tgl.* | *Westminster Terrace* | *Tel. 0141/221 16 63* | *€*

TRON CAFÉ-BAR ▶▶
Das Theatercafé mit seiner trendigsaloppen Atmosphäre ist ein guter Lunchtipp für diejenigen, die ein wenig in das hier beginnende East End hineinschnuppern wollen. *Do geschl.* | *63 Trongate* | *Tel. 0141/552 85 87* | *€*

THE UBIQUITOUS CHIP
Insider Tipp
Nirgendwo speist man schottischer. Egal, woher Fisch, Rind oder Dessertzutaten kommen, es ist vermerkt. Beliebt und dampfend vor lebhafter Glasgow-Atmosphäre. Preiswerteres Bistro auf der Etage. *Tgl.* | *12 Ashton Lane* | *Tel. 0141/334 50 07* | *www.ubiquitouschip.co.uk* | *€€–€€€*

■ EINKAUFEN ■
Lassen Sie noch ein wenig Platz im Koffer, denn: Glasgow hat die besten Shoppingmöglichkeiten ganz Schottlands. Buchanan Street, Sauchiehall Street, Italian Centre und Princess Square liegen alle nahe beieinander und bieten neueste internationale Mode und Schmuck. Drucke und Originale von aktuellen schottischen Künstlern kauft man bei *Glasgow Print Studios (22–25 King Street)*, Kunst jenseits des Mainstreams in der *Transmission Gallery (28 King Street)*. *Insider Tipp* In der Merchant City, der Ingram Street und deren Seitengassen, gibt es trendige Modeboutiquen wie z. B. *Glasgow Style (158 Ingram Street)* mit Stahlwannen und Becken von *Submarine*, Tüchern von Jan Milne, Keramiken von *Firework*.

▶LOW BUDGET

▶ Ein entspanntes, großzügiges Independent-Hostel ist das *Bunkum Backpackers* im Westend. *36 Betten* | *26 Hillhead Street* | *Tel. 0141/581 44 81* | *bunkumglasgow.co.uk*

▶ Im *Ben Nevis* trifft sich die Folk-Szene: Das gemütliche Whisky-Pub liegt im keltischen Viertel Glasgows. Zu preiswerten Drinks und Eintopf gibt es Mi/Do/Sa Livemusik. *Tgl.* | *1197, Argyle Street*

▶ Das *Starry Starry Night* ist ein wunderbarer Secondhand-Laden. Viktorianisches, Charleston, Cardigans, Kilts und Tweed: alles da und verhandelbar. *19–21 Downside Lane* | *Tel. 0141/337 18 37*

▶ Fish & chips-Hunger befriedigt das *Philadelphia*. Nachtschwärmer-Anlaufstelle. *Tgl.* | *445 Great Western Road*

▶ Das *Lismore* liegt etwas außerhalb, ist aber wegen der Wahl zum weltweiten „Top-Whisky Pub 2004" und dem „Malt of the Month" für £1,65 jeden Taxikilometer wert. *Tgl.* | *206 Dumbarton Road*

GLASGOW

■ ÜBERNACHTEN ■■■■■

BELGRAVE HOTEL

Preiswert und sauber in einem typischen Reihenhaus im West End. Glasgow pur auch direkt vor der Haustür. *12 Zi. | 2 Belgrave Terrace, Great Western Road | Tel. 0141/337 18 50 | www.belgraveguesthouse.co.uk | €*

BABBITY BOWSTER

Nette Zimmer über einem der angenehmsten Pubs der Stadt. Vor dem Schlafengehen können Sie noch einen Whisky nehmen und einen kleinen Plausch halten. Frühstück im Biergarten. Leckere Suppe und Muschelteller zum Lunch. *6 Zi. | 16-18 Blackfriars Street | Tel. 0141/552 50 55 | €€*

MALMAISON

Am Rande des West Ends liegt das farbenfrohe Designhotel, in dem die Zimmer zwar nicht so groß, aber wie moderne Kunstwerke durchgestylt sind. Schönes Café. *72 Zi. | 278 West George Street | Tel. 0141/572 10 00 | www.malmaison.com | €€€*

MANOR PARK HOTEL

Kleines Reihenhaushotel im West End mit guter Parkmöglichkeit und einem Park gegenüber. Kräftiges Frühstück und schottisch-herzliche Gastfreundschaft – irgendwie eine Einstimmung auf die Highlands. *10 Zi. | 28 Belshagray Drive | Tel. 0141/339 21 43 | www.manorpark hotel.com | €–€€*

THE MERCHANT LODGE

Ordentliche und einfache Zimmer im ehemaligen Domizil eines Tabakhändlers, zentral in der Merchant City. Man muss die Koffer die Treppe

Abendrot über der nächtlichen Skyline von Glasgow

selbst hochschleppen. *40 Zi. | 52 Virginia Street | Tel. 0141/552 24 24 | €*

MILLENIUM HOTEL

Prominenteste Lage (wenn auch nicht Fassade) am zentralen George Square neben Queen Street Station. 4 Sterne, Frühstück im Wintergarten zum Platz raus. Geräumige Zimmer mit allem, was man für den Aufenthalt braucht. *110 Zi. | 40 George Square | Tel. 0141/332 67 11 | www.milleniumhotels.com | €€*

THE OLD SCHOOLHOUSE

Alleinstehende Villa im georgianischen Stil in einer typischen Reihenhausstraße mit netten Zimmern. Zur School of Art und zum Centre for Contemporary Arts sind die Wege kurz. Außerdem ein toller Blick auf den geschäftigen Puls der City den Hügel hinunter. *22 Zi. | 194 Renfrew Street | Tel. 0141/332 76 00 | Fax 332 86 84 | www.schoolhousehotelglasgow.co.uk | €*

■ AM ABEND ■
THE ARCHES ▶▶

Unterm Hauptbahnhof ist immer was los. In der Woche wird Low-Budget-Theater gespielt, am Wochenende trifft man sich in den Gewölben, um sich in diversen Clubs ohne Blick auf die Uhr zu amüsieren. Topsound. *253 Argyle Street | Tel. 0141/221 40 01 | www.thearches.co.uk*

▸Insider Tipp CLUTHA VAULTS

Eines der urigsten, typischsten Pubs der Industrie-, Musik- und Pubstadt. Studenten, Malocher, Journalisten und Poeten nippen am Bier, während Livemusik oder Lesungen laufen.

Gleiches kann man über die *Scotia Bar* (urgemütlich!) nebenan sagen. **Insider Tipp** Gute Einkehr für einige Gläser. *Tgl. | 167 Stockwell Street*

KING TUT'S WAH WAH HUT ▶▶

Schweißnasse Wände, aktuelle Musik. Wer als Band was werden will, muss hier bestehen. Eine Topadresse. *Tgl. | 272 St. Vincent Street | Tel. 0141/221 52 79 | www.kingtuts.co.uk*

NICE 'N' SLEAZY

Populäre Chillout-Bar mit gar nicht mal teuren Drinks zu entspannender Musik. *Tgl. | 421 Sauchiehall Street | Tel. 0141/333 96 37*

ORAN MOR ▶▶

In der faszinierend umgebauten, ehemaligen Kirche spukt Schottland durch alle Gänge. Hinter den Mauern verbergen sich unter anderem zwei Restaurants, zwei Bars und ein Nachtclub. Im prachtvollen Auditorium fühlt man sich dem Himmel ein Stückchen näher. *So geschl. | Byres Road/Great Western Road | Tel. 0141/357 62 26 | www.oran-mor.co.uk*

■ AUSKUNFT ■
TOURIST INFORMATION CENTRE

11 George Square | Glasgow | Tel. 0141/204 44 00 | Fax 221 35 24 | www.seeglasgow.com

■ ZIELE IN DER UMGEBUNG ■
ARRAN   [112–113 C–D 2–3]

Die gebirgige Insel hat alles, was Schottland bietet: einen Berg für Wanderer (*Goat Fell*, 874 m), *Standing Stones* im Machrie Moor, ein Castle im Hauptort *Brodick*, eine schmucke neue Whiskydestillerie. Arran lässt sich gut mit dem Leihfahrrad erkunden. Tipp: Nutzen Sie Arran als Sprungbrett zur abgelegenen Kintyre-Halbinsel. *Die Autofähre von Ardrossan (25 km westlich von Glas-* chenendziel angesteuert. Als 1910 Urlaub für Arbeiter eingeführt wurde, kamen auch diese. Abgesehen von einem Stadtbummel in Rothesay, wobei besonders die *Victorian Toilets* am

Insider Tipp

Insider Tipp

Schönes Beispiel für den schottischen Jugendstil: Hill House in Helensburgh

gow) nach Brodick verkehrt Mo–Sa 6-mal | die Autofähre Lochranza–Claonaig (Kintyre) tgl. 9-mal (Tel. 01770/30 21 66)

BUTE ★   [113 D1–2]
Eine halbe Stunde Bahnfahrt von Glasgow Central Station (Argyle Street) nach Wemyss Bay, dann noch einmal 30 Minuten mit der Fähre bringen Sie zu der 25 x 8 km großen, sanften Insel. Der Hafen *Rothesay* wurde nach der Einführung der Dampfschifffahrt im frühen 19. Jh. zunächst nur von Glasgows Großbürgern als Wo-

Hafen (in Benutzung, ein Guide führt in die bombastischen Männertoiletten!) witzig sind, sollte man sich auf das *Mount Stuart House* an der Ostküste konzentrieren *(Führungen Ostern und Mai–Aug. Mo–Fr 11–16, Sa/So 11–14 Uhr | £ 7 | www.mount stuart.com)*. Das Interieur des neugotischen, roten Sandsteinschlosses ist geschmacklich das Esoterischste und Romantischste, was Schottland zu bieten hat. Der Rektor der Glasgow University, der 3. Marquess of Bute, hatte katholische, astronomische und astrologische Passionen. Die spiegeln sich in der grandiosen weißen Marmorkapelle, der riesigen Eingangshalle und den mit mythologischen Details bestückten Räumen wider.

HILL HOUSE ⭐ [113 E1]

Eine Autostunde von Glasgow, in Helensburgh, lockt das von Mackintosh und seiner Frau bis ins Detail entworfene Hill House. Es entstand 1904 für den Verleger Walter Blackie und zeigt den schottischen Jugendstil mit der typischen Farbgebung bei Möbeln, Tapeten und Lampen in umfassender Form. Man kann im Garten Tee trinken und in der Bibliothek schmökern. Außerdem sind im Shop witzige kleine Mitbringsel von jungen schottischen Designern zu erstehen. *Mo–Sa 10.30–17.30, So 12–17 Uhr | Helensburgh | 45 km nordwestlich von Glasgow*

NEW LANARK [114 B3]

Robert Owen (1771–1858) war Industrieller und Sozialreformer. Die Zustände in der damals hochmodern ausgerüsteten Baumwollspinnerei schrien auch deshalb nach Reformen, weil die Arbeiter in der harten Produktionsmaschinerie des Industriekapitalisten zu 70 Prozent Kinder waren. Owen war klar, dass gut behandelte, gebildete und gesunde Arbeiter auch für höhere Gewinne sorgten. Also verbesserte er die Wohn- und Freizeitbedingungen der zeitweise etwa 2500 Arbeiter im Industriedorf. Die Einrichtung einer Schule, die Gesundheitsvorsorge und das Kulturangebot waren Pionierarbeit und bekamen Modellcharakter. Seine bis ins Detail durchdachte Organisation wird beim Besuch des Dorfes und Museums für Industrie- und Sozialgeschichte noch heute nachvollziehbar. Sehr gut ist das in einem Spinnereigebäude eingerichtete, moderne *Mill Hotel (38 Zi. | Tel. 01555/66 72 00 | €€) direkt am River Clyde. Tgl. 11–17 Uhr | www.newlanark.org | 50 km südöstlich von Glasgow*

> VERKANNTES GENIE
Jugendstil-Architekt Charles Rennie Mackintosh

Charles Rennie Mackintosh wurde 1868 in Glasgow geboren. Schon während seiner Studienzeit knüpfte er künstlerische Bande zu Herbert MacNair und den Schwestern Margaret und Frances Mac Donald – Margret wurde später seine Frau. Die „Glasgow Four" entwickelten den Glasgow Style, der sich stilistisch u.a. an Linienzeichnungen und technisch an der Funktionalität von Design orientierte. Architektur und Interieurdesign gingen Hand in Hand, was man am Hill House und an der Scotland Street School schön sehen kann. Mackintosh, der auch Aquarelle malte und sich mit textiler Gestaltung befasste, fand zu Lebzeiten im Ausland deutlich mehr Bewunderung als daheim. Deshalb ging er 1915 zunächst nach London und 1923 nach Port Vendres in Südfrankreich, wo er 1928 starb. Mit einem Mackintosh-Ticket für 12 Pfund können Besucher elf Architekturarbeiten des Meisters besuchen, darunter auch die Kunstschule in der Renfrew Street. *www.crmsociety.com*

> KAPITALE UND KULTURSTADT

Majestätisch, glanzvoll, erhaben, mit einem Schuss Nostalgie:
Edinburgh ist und bleibt die Diva der schottischen Städte

 **KARTE IN DER HINTEREN
UMSCHLAGKLAPPE**

**Noch vor einer Dekade dachte man bei
Edinburgh [119 D6] zuerst an Haggis,
Dudelsack und Robert Burns. Die schotti-
sche Dreifaltigkeit gibt es zwar noch im-
mer, aber sie wurde gründlich überholt.**
Heute steht die Stadt am *Firth of
Forth* für moderne Architektur, MTV
und schräge Lederkilts, unter Club-
gängern gilt sie als Geheimtipp.
Edinburgh ist mit 448 000 Einwoh-

nern im Vergleich zu Glasgow zwar
die kleinere Stadt, doch sie ist die
Hauptstadt des Landes. Für Kunst-
interessierte bietet sie eine vielfältige
Museumsszene und für Stadtästheten
das einheitlichere Bild, das vor allem
durch bürgerliche Wohnkultur und
wohlhabende Stadthäuser geprägt ist.
Mittelpunkt der Kapitale ist das
Edinburgh Castle, das erhöht auf einem Fels über den Häusern thront.
Direkt unterhalb des Schlosses brei-

Bild: Dugald Stewart Monument auf dem Calton Hill

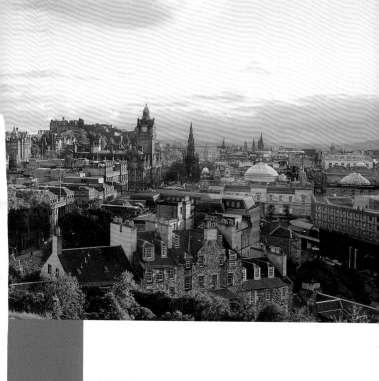

EDINBURGH & UMGEBUNG

tet sich *Old Town* aus, das historische Edinburgh mit seinen engen Gassen, Pubs und schmalen Häusern aus dem 16. und 17. Jh., in denen schon Sir Walter Scott, der Philosoph David Hume oder der Maler Henry Raeburn verkehrten. Aus dem 18. Jh. und der georgianischen Zeit stammt dagegen der neue Teil von Edinburgh, die so genannte *New Town*, die dominiert wird von rund eingefassten Plätzen, deren schönster Charlotte Square ist.

Auch heute ist Edinburgh inspirierend, besonders für eine wachsende Literaturszene. Der Schriftsteller Ian Rankin hat aus der Stadt ebenso Anregungen für seine Bücher gezogen wie die Harry-Potter-Autorin Joanne K. Rowling, die den ersten Band der Bestseller-Reihe in einem örtlichen Café schrieb. Nicht ungewöhnlich, denn Schreiben hat in den alten Gassen Tradition. Robert Burns, Sir Walter Scott, Robert Louis Stevenson:

Sie alle waren kürzere oder längere Zeit in der Stadt und hinterließen ihre Spuren, die man nicht nur in ihren Büchern, sondern zum Teil auch im *Writers Museum* wiederfindet. Jedes Jahr im August erinnert Edinburgh an seine besondere Beziehung zur Literatur und feiert das *Book Festival (www.edbookfest.co.uk)*, bei dem Größen wie die in Edinburgh geborene Muriel Spark und Nobelpreisträgerinnen wie Doris Lessing oder Toni Morrison auftreten.

Traditionspflege: Wappen im Castle

Aber nicht nur literarisch, auch politisch hat Edinburgh wieder mitzureden. Über Jahrhunderte war die Diva politisch unbedeutend. Das änderte sich im Mai 1999. Ein Jubelschrei ging durch die Old Town, als sich die frisch gewählten Abgeordneten zum neuen schottischen Parlament konstituierten. 2004 war das neue, 430 Mio. £ teure Parlamentsgebäude fertig, das der inzwischen verstorbene katalanische Baumeister Enric Miralles entworfen hatte.

■ SEHENSWERTES ■

CALTON HILL ☆ [U E3]

Die beiden schönsten Ausblicke auf die Stadt liegen östlich vom Zentrum. Der grüne Hügel *Calton Hill* (100 m) ist mit grandiosen Denkmälern aus der ersten Hälfte des 19. Jh. übersät, darunter die *Old Royal High School*, das *Dugald Stewart Monument* und das unvollendete Kriegerdenkmal *National Monument*.

In zwei Kilometern Entfernung liegt, oberhalb von Holyrood House und Parlament, der 251 m hohe *Arthur's Seat*. Der Hügel ist der Basaltkern eines 350 Mio. Jahre alten Vulkans. Während des steilen Aufstiegs bekommt man einen Überblick über die Parlaments-Architektur und die hügelige Anlage der gesamten Stadt in Blickrichtung Westen.

DYNAMIC EARTH [U F4]

Zwischen Parlament und Schloss erhebt sich eine neue Zeltkonstruktion, in der man eine hochinteressante Zeitreise durch die Erdgeschichte unternimmt. Multimedial, interaktiv, toll auch für Kinder. *Tgl. | April–Okt. 10–17 Uhr, Juli–Aug. 10–18 Uhr | Eintritt £ 8,95 | 112, Holyrood Road | Tel. 0131/550 78 00 | www.dynamic earth.co.uk*

THE FRUITMARKET GALLERY [U D4] Inside Tipp

Wer sich für die Young British Art und überhaupt für Moderne Kunst interessiert, wird die Gallery lieben. In einem restaurierten Teil des viktorianischen Obst- und Gemüsemarkts finden sich die Arbeiten profilierter Künstler von Jeff Koons bis zu Bill Viola. *Mo–Sa 11–18 Uhr | Eintritt frei | 45 Market Street | www.fruitmarket.co.uk*

EDINBURGH CASTLE ⭐ [U C4]

Kein Trip nach Edinburgh wäre vollkommen ohne den Besuch des Castles. Die Kapelle ist bis aufs 12. Jh. zurückdatiert, die Hauptgebäude stammen aus dem 18. und 19. Jh. Hinter den Mauern verbergen sich das *Scottish National War Museum*, die Kronjuwelen Schottlands und der „Schicksalsstein", der *Stone of Destiny*. Auf ihm wurden alle schottischen Könige inthronisiert. Im August wird das Castle zum Mittelpunkt des *Military Tattoo*, einer Militärparade, die am Schloss startet und in einem großen Stadtfest mündet *(www.edintattoo.co.uk)*. *April–Okt. tgl. 9.30–18, Nov.–März 9.30–17 Uhr | £11 | Castlehill | www.historic-scotland.gov.uk*

GALLERY OF MODERN ART [0]

Ein Hochgenuss für Kunstinteressierte: Stunden lassen sich zwischen den Arbeiten von Pablo Picasso, Henry Moore oder Damien Hirst verbringen. Später sollten Sie unbedingt auch der Cafeteria noch einen Besuch abstatten, sie gehört zu den besten *tearooms* der Stadt. *Tgl. 10–17, Do bis 19 Uhr | Eintritt frei | 75 Belford Road | www.nationalgalleries.org*

THE GEORGIAN HOUSE [U B4]

Ein Stadthaus, das der National Trust verwaltet und in dem die Lebensbedingungen im 18. Jh. in einer Schau dokumentiert sind. *April–Okt. tgl. 11–17 | im Winter bis 15 Uhr | £7 | 7 Charlotte Square | www.nts.org.uk*

MUSEUM OF SCOTLAND [U D5]

Die Architektur des Museums ist mindestens so beeindruckend wie das Innenleben: Sie erinnert an alte Schlösser und Turmhäuser und wurde von den Architekten Benson und Forsyth mit hellen, großen Räumen konzipiert. Innen führt eine Ausstellung in die schottische Geschichte ein. Ein Tipp: Vom Restaurant ✕ *The Tower* haben Sie einen weiten Blick über Edinburgh. *Mo–Sa 10–17, So 12–17 Uhr | Eintritt frei | Chambers Street | www.nms.ac.uk*

NATIONAL GALLERIES OF SCOTLAND [U C4]

Für welche Kunstepoche Sie sich auch begeistern: Edinburgh hat die

MARCO POLO HIGHLIGHTS

entsprechende Galerie für Sie. Im Jahr 2004 wurden das *Royal Scottish Academy Building* und die *National Gallery of Scotland* für rund 30 Mio. £ umgebaut. Entstanden ist ein Kunstcenter, das in Europa seinesgleichen sucht: In der *Royal Scottish Academy* werden temporäre Ausstellungen gezeigt, in der ★ *National Gallery*, die wie ein griechischer Tempel anmutet, eine der umfangreichsten britischen Gemäldesammlungen mit Werken von Rubens, Tizian oder Goya, um nur drei der großen Namen zu nennen. In der gläsernen Verbindung zwischen den Museumsbauten gibt es eine Bar, ein Restaurant, eine Bibliothek und ein Theater. *Fr–Mi 10–17, Do 10–19 Uhr | Eintritt frei | Princes Street | The Mound | www.nationalgalleries.org*

PALACE OF HOLYROODHOUSE [U F4]

„Queenie's time-share" nennen Spaßvögel den Palast, denn die Königin ist im Sommer immer nur ein paar Tage hier. Im 12. Jh. war der Palast noch eine Abtei, 400 Jahre später wurde er zum Monarchensitz ausgebaut. „Hier wurden Kriege geschmiedet, Nächte durchtanzt, Morde be-

gangen", schrieb Robert Louis Stevenson. *April–Okt. tgl. 9.30–18, Nov.–März 9.30–16.30 Uhr | £ 9,50 | Canongate | www.royal.gov.uk*

ROYAL BOTANIC GARDEN ★ [U B1]

Herzstück ist das viktorianische Palmenhaus, das größte im Vereinigten Königreich. Es beherbergt allein 5400 Pflanzen von 2400 Arten. Fortlaufende Ausstellungen sind schottischen Künstlern wie dem Gartenphilosophen Ian Hamilton Finlay gewidmet. *Nov.–Feb. tgl. 10–16 Uhr, März bis 18, April–Sept. bis 19 Uhr, Okt. bis 18 Uhr | Eintritt frei | 20 A Inverleith Row | www.rbge.org.uk*

THE ROYAL MILE ★ [U D4]

Die Royal Mile, die Daniel Defoe als die „schönste Straße der ganzen Welt" bezeichnete, ist heute ein schottisches Potpourri: hier Kaschmir- und Country-Läden, dort Souvenirshops. Die Straße führt über rund 1,6 Kilometer vom Castle bis zum Palace of Holyroodhouse, der Residenz der Queen. Auf diesem Stück Kopfsteinpflaster wechselt die Royal Mile viermal den Namen: erst heißt sie Castlehill, dann Lawnmarket, später High Street und

> DIE STADT ALS BÜHNE
Im Sommer ist Edinburgh im Festival-Rausch

Mitte August verwandelt sich Edinburgh in einen Jahrmarkt der Künste. Das *International Festival* bringt die Kapitale für 21 Tage mit Opern, Konzerten und Streichquartette zum Beben. Jeder Saal, jede Spielstätte ist ausgebucht. Zum Trubel trägt auch das zeitgleiche *Fringe Festival* bei. Das Festival ist Sprungbrett

für junge Künstler: 700 Theatergruppen spielen an fast 200 Orten. Edinburgh feiert – und für alle, die mitfeiern, ist es ein Riesenspektakel und ein Genuss, ob beim *Edinburgh Film*- oder *Book Festival*, dem *Military Tattoo* oder dem *International Science Festival*. *www.edinburghfestivals.co.uk*

In der National Gallery werden die Schätze stilvoll präsentiert

schließlich Canongate, wenn sie beim Holyroodhouse ankommt.

ROYAL YACHT „BRITANNIA"   [U F1]

Selbst „Miss Marple" Margaret Rutherford war einst an Bord. Die Royal Yacht „Britannia" hat 44 Dienstjahre auf dem Bug und hat nun in Leith festgemacht. Eine Audiotour führt über alle fünf Decks. *April–Sept. tgl. 9.30–16.30 | Okt.–März 10–15.30 Uhr | Eintritt £9,50 | Ocean Terminal | Leith | www.royalyachtbritannia.co.uk*

THE SCOTTISH PARLIAMENT ⭐   [U F4]

Erst war es umstritten, heute feiert es Besucherrekorde: Selbst schottische Ladys reihen sich klaglos in die langen Warteschlangen vor dem modernen Bau ein. Wer das Parlament besichtigen will, kann sich vorher zu einer geführten Tour telefonisch anmelden. *Di–Do 9–19 Uhr, Mo/Fr 9–18 Uhr; Sa/So 10–16 Uhr | £3,50 |*

Holyrood Road | Tel. 0131/348 52 00 | www.scottish.parliament.uk

WRITERS MUSEUM   [U D4]

Manuskripte, Federn, der Schreibtisch von Burns – das Literaturmuseum vereint Skurriles und Spannendes zum schreibenden Dreigestirn Robert Burns, Sir Walter Scott und Robert Louis Stevenson. *Mo–Sa 10–17 Uhr | Eintritt frei | Lady Stair's Close, Lawnmarket. Royal Mile*

■ ESSEN & TRINKEN ■

CIRCUS CAFÉ   [U B2]

Café, Restaurant und Bar unter einem Dach: köstliche mediterrane Speisen, gute Preise. *Tgl. | 15 North West Circus Place | Tel. 0131/220 03 33 | www.circuscafe.co.uk | €*

THE DOME   [U C3]

Früher residierte hier die Royal Bank, heute trinkt man Martini an der Bar, statt über Warentermingeschäfte zu debattieren. *Mo geschl.* | *14 George Street* | *Tel. 0131/624 86 24* | *www.the domeedinburgh.com* | €€

THE GRAIN STORE [U D5]

Französisch-schottische Küche im Zentrum, charmant serviert. Die alten Steinmauern sorgen selbst im ersten Stock für eine bekömmliche Prise Edinburgh-Grusel. Sehr gutes Preis-Leistungsverhältnis. *So geschl.* | *30 Victoria Street* | *Tel. 0131/225 76 35* | €

OLOROSO ✻ [U B4]

Der schönste Dinnerplatz Edinburghs mit einem weiten Blick über den Firth bis zur Halbinsel Fife. Die

Küche ist asiatisch inspiriert. Reservierung empfehlenswert. *Tgl.* | *33 Castle Street* | *Tel. 0131/226 76 14* | *www.oloroso.co.uk* | €€€

RESTAURANT MARTIN WISHART [0]

Martin Wisharts Kochkunst war dem Michelin schon einmal eine Sternvergabe wert. *Mo geschl.* | *54 The Shore, Leith* | *Tel. 0131/553 35 57* | *www. martin-wishart.co.uk* | €€€

■ EINKAUFEN ■

HARVEY NICHOLS [U D3]

Designerkollektionen von der Handtasche bis zum Abendschuh. Harvey Nichols verkauft Sehnsüchte: Kleider von Marc Jacobs oder Kosmetik von Molton Brown. Luxus auf vier Etagen. *30–34 St. Andrew's Square* | *www.harveynichols.com*

JENNERS [U C4]

Hier treffen sich schottische Ladys und MTV-Stars: Jenners ist das älteste Luxuskaufhaus am Platz. *Princes Street* | *www.jenners.com*

ROYAL MILE WHISKIES [U D4]

Whisky? Dann hier: Es gibt mehr als 1000 verschiedene Sorten Malts und Bourbons aus Schottland, und wer mag, kann lächerliche 15 000 Euro für einen Glenfiddich von 1937 hinblättern – oder es mit einer kleineren Version versuchen: Ein Malt als Miniatur für 7,50 Euro. *379 High Street* | *www.royalmilewhiskies.com*

21ST CENTURY KILTS [U D4]

Howie Nicholsby schneidert Kilts fürs 21. Jh. – ob aus PVC, Leder oder im Militarylook, Kosten zwischen 300 und 1000 £ (ca. 490 bis 1600

Euro). *57–61 High Street | www.21st centurykilts.co.uk*

■ ÜBERNACHTEN ■

THE BALMORAL [U C4]

Zu den Gästen zählen Angelina Jolie und Kylie Minogue, es gibt Gym und Spa im Haus, dazu ein vielfach preisgekröntes Restaurant. Tipp: *Afternoon Tea* im Palmenhaus. *188 Zi. | 1 Princes Street | Tel. 0131/556 24 14 | www.thebalmoralhotel.com | €€€*

CHANNINGS [U A2]

Elegant und historisch: Die fünf zu einem ruhigen Westend-Hotel zusammengelegten georgianischen Reihenhäuser gehörten teilweise dem Polarforscher Sir Ernest Shackleton – manche Räume thematisieren das mit Expeditionsfotos. Labyrinthisch, gemütlicher Luxus, freundlichster Service und ausgezeichnetes Souterrain-Restaurant. *41 Zi. | 12–16 South Learmonth Gardens | Tel. 0131/274 74 01 | www.channings.co.uk | €€*

MALMAISON [0]

Designerhotel an den alten Docks. Auf den Zimmern CD-Spieler, die passende Musik gibt's an der Rezeption. Dezenter, guter Service, lichte Räume. Gute Restaurants in der Nähe, Nachteil: 15 Automin. zum Stadtzentrum. *100 Zi. | 1 Tower Place, Leith | Tel. 0131/468 50 00 | www.malmaison.com | €€*

MW GUESTHOUSE [0]

Nett und für Edinburgh fast billig: weißes Leinen, modern-elegante Einrichtung, schottischer Whisky und manche Zimmer mit Blick über Salisbury Crag's. *14 Zi. | 94 Dalkeith Road | Tel. 0131/662 92 65 | www.mw guesthouse.co.uk | €*

Luxus an der Princes Street: The Balmoral

THE POINT [U B5]

Ein vom Architekten Andrew Dolan exzellent designtes Hotel. Sie werden sich hier wie ein Filmstar fühlen: Es gibt herrliche Ausblicke, Jacuzzis (zumindest in den Suiten) und modernes Interieur. *140 Zi. | 34 Bread Street | Tel. 0131/221 55 55 | www. point-hotel.co.uk | €€*

PRESTONFIELD [0]

Opulente Zimmer und das ausgezeichnete Restaurant Rhubarb, in dem es Highland-Lamm und *scallops* von den Hebriden gibt. *24 Zi. | Priestfield Road | Tel. 0131/225 78 00 | www.prestonfield.com | €€€*

RICKS [U C3]

In der City: Kaschmirplaids auf den Betten, edel-dezente Einrichtung und netter Service. *10 Zi. | 55a Frederick Street | Tel. 0131/622 78 00 | www.ricksedinburgh.co.uk | €€*

■ FREIZEIT & SPORT ■

THE ADVENTURE CENTRE [0]

Vor den Toren Edinburghs, eines der führenden Centre weltweit: Es bietet fünf Kletterwände, darunter die höchste Europas. *Tgl. | Eintritt £8 | South Plate Hill, Ratho | www.adventure scotland.com*

■ AM ABEND ■

LEITH [0]

Leith, die Hafengegend Edinburghs, ist heute *very fashionable*. Das Gebiet bezieht seinen Reiz aus dem Gegensatz zwischen alten Docks auf der einen Seite und neuen Stahl- und Glaselementen, blitzender Architektur und Lokalen wie der *Zinc Bar*, die von Terence Conran gestaltet wurde, auf der anderen. Zur Leith-Abendrunde gehört ein Stopp in *The Shore (Tel. 0131/553 50 80 | 3 The Shore)*, einer Bistrobar mit schönem Blick auf die Hafenfront. Manchmal gibt's zum Aperitif leichten Jazz live. Nachher ist *The Waterfront* angesagt *(1c Dick Place | Tel. 0131/554 74 27)*, ein gemütlicher Platz direkt an den Gewässern der Hafengebäude.

THE LIQUID ROOM [U C–D5]

Einer der wichtigsten Clubs Edinburghs mit Live-Acts. Freitagabends die besten Anlaufstelle der Stadt. *Mo geschl. Eintritt £2,50–18 | 9c Victoria Street | Tel. 0131/225 25 64 | www.liquidroom.com*

OPAL LOUNGE ▶▶ [U C4]

Die besten Mojitos und Martinis werden hier von Schottlands Kult-Barkeeper Chris Langan gemixt. Die Opal Lounge ist auch die Lieblingsbar des britischen Thronfolgers Prince William. *Mo geschl. | 51 George Street | Tel. 0131/226 22 75 | www.opallounge.co.uk*

SANDY BELLS ▶▶ [U D5]

Einige der besten Folkmusiker kommen gerne auf ein Bier in das unprätentiöse alte Musikpub und bereichern die allabendlichen Jamsessions mit Fiddle und Akkordeon. Trinken und Tanzen pur. Keine Essen. *Tgl. | 25 Forrest Road | Tel. 0131/225 27 51*

TRAVERSE THEATRE [U B5]

Auch nach 40 Jahren noch einer der trendigsten Plätze der Stadt. Design trifft auf Jazz, Kunst auf Lebenskünstler. Wiege von Tilda Siwnton und Robbie Coltrane. Im Café gibt es gute Tapas. *Tickets £4–13 | 10 Cambridge Street | Tel. 0131/228 14 04 | www.traverse.co.uk*

USHER HALL [U B5]

In einer unter Denkmalschutz stehenden Konzerthalle wird Jazz und Blues gespielt, oder es singt José Carreras. *Tickets £8–25 | Lothian Road | Tel. 0131/228 11 55 | www.usherhall.co.uk*

INBURGH & UMGEBUNG

Der mächtige Linlithgow Palace war das Stammschloss der Stuarts

■ AUSKUNFT ■

**EDINBURGH & SCOTLAND
INFORMATION CENTRE**   [U C4]
*3 Princes Street, Edinburgh EH2
2QP | Tel. 0845/225 51 21 | www.ci
tyschottland.de | www.edinburgh.org*

■ ZIELE IN DER UMGEBUNG ■

LINLITHGOW PALACE   [114 C1]
Linlithgow Palace war der Geburts-
ort von Maria Stuart, der Lebensort
aller Stuarts und wurde 1301 erstmals urkundlich erwähnt. Die Ruine
liegt malerisch eingebettet in einen
atmosphärischen Park. *Ende März–
Sept. tgl. 9.30–17.30 | Okt. bis An-
fang März bis 16.30 Uhr | Eintritt £ 5*

*| www.historic-scotland.gov.uk | M 9 |
25 km westlich von Edinburgh*

ROSSLYN CHAPEL ★   [115 D2]
Um die im 15. Jh. erbaute Kapelle ran-
ken viele Legenden; sie ist finaler
Schauplatz des Bestsellers „Sakrileg"
von Dan Brown. Im Mittelpunkt des
Interesses stehen u.a. rätselhafte Stein-
metzarbeiten – möglicherweise ver-
schlüsselte Musikpartituren. Der Musiker Stuart Mitchell hat sie 2007 als
Rosslyn-Motette in Klänge umgesetzt.
*April–Sept. Mo–Sa 9.30–18, So
12–16.45 Uhr; Okt.–März 9.30–17, So
12–16.45 Uhr | £ 7 | 12 km südlich von
Edinburgh | www.rosslynchapel.org.uk*

> MYTHOS UND KLISCHEE

Menschenleere Landschaften, Schlösser und Whiskydestillerien –
wo Reisende die nostalgische Seite Schottlands finden

> The Scottish Highlands wird die Region genannt, wo die Lowlands aufhören und der Golfsport ganz oben steht, wo der Nationalheld Rob Roy durch die Gemüter wandert und sich heute noch im Pub die Stimmen senken, wenn es um den Platz geht, an dem früher schottische Könige gekrönt wurden: *Scone Palace* bei Perth. Gleich dahinter bauen sich die *Grampian Mountains* auf, eine Region, die das gängige Schottlandbild maßgeblich geprägt hat: menschenleere Hochplateaus, Heidekraut im Wind, vereinzelte Schafe, historische Stätten wie *Glen Coe*, das „Tal der Tränen", und schließlich *Loch Ness*, der See, um den sich der Nessie-Mythos rankt. Während im Osten die *Royal Deeside* mit Schlössern und Destillerien lockt, wird die Urbanisation gen Norden karg und einsam. Hier türmen sich die Northern Highlands auf, wo Dörfer nur aus einer Handvoll Häusern bestehen und die Küste wild zerklüftet ist.

Bild: Glen Affric, Blick über Loch Affric

DIE HIGHLANDS

ABERDEEN

[119 F1] **Man nennt sie auch „Silver City by the Sea": Aberdeen, zwischen der Flussmündung von Don und Dee gelegen, ist mit 250 000 Einwohnern die drittgrößte Stadt Schottlands.** Hinter Glasgow und Edinburgh führte sie stets ein Aschenputteldasein, obgleich sie schon 1179 die Stadtrechte erhielt und zur Royal Burgh avancierte. Weltweite Aufmerksamkeit erlangte sie als Stadt des Granits. Der silbergraue Stein, der zu den besten Granitsorten der Welt gehört, wurde nicht nur zum Bau der Häuser in Aberdeen verwendet, sondern in vielen Winkeln der Welt eingesetzt: im Mausoleum von Queen Victoria, am Grabstein Napoleons III., in den Straßen Londons und an den Piers von Rio de Janeiro. Durch die Küstenlage Aberdeens konnte der Schiffbau im 19. Jh. zu einem bedeutenden Wirtschaftsfaktor werden.

ABERDEEN

■ SEHENSWERTES ■

ALBERT BASIN

Bei der täglichen Fischversteigerung am Albert Basin kommt die Ware frisch vom Kutter. Nur für Frühaufsteher: Wer mitbieten will, sollte am besten gegen 7 Uhr morgens dort sein. *Market Street*

OLD ABERDEEN

Der älteste Ortsteil Aberdeens war bis ins 19. Jh. eine eigenständige Stadt. Sehenswert sind King's College in der High Street und die Saint Machar's Cathedral, die aus dem 6. Jh. stammt und eines der ältesten Bauwerke aus Granit sein soll.

Marischal College, das neogotische Schmuckstück Aberdeens

MARISCHAL COLLEGE

Das 1837 erbaute Universitätsgebäude ragt kathedralenartig aus der Broad Street heraus – eines der größten Granitbauwerke der Welt.

MARITIME MUSEUM

Ausstellung zur Geschichte der Schifffahrt und zum Leben auf den Bohrinseln. *Mo–Sa 10–17, So 11.30–17 Uhr | Eintritt frei | 19 Justice Mill Lane*

■ ESSEN & TRINKEN ■

BLUE MOON

Modernes, indisches Restaurant mit leckeren, frisch gemachten Chilis und Currys. *Tgl. | 11 Holburn Street | Tel. 01224/58 99 77 | €*

SILVER DARLING

Das Angebot des Fischrestaurants richtet sich nach dem Fang: Der Fisch kommt exzellent zubereitet auf den Tisch. *So geschl.* | *Pocra Quay, North Pier* | *Tel. 01224/57 62 29* | €€

ÜBERNACHTEN

ARDOE HOUSE
Landhaushotel mit schönem Blick auf die Countryside. *110 Zi.* | *Blairs, South Deeside Road* | *Tel. 01224/86 06 00* | *www.ardoehouse.com* | €€

THE GLOBE INN
Lebhaftes und preiswertes Hotel mit sauberen Zimmern. Es liegt über einem Pub mit guter Küche und nettem Publikum. *7 Zi.* | *13–15 North Silver Street* | *Tel. 01224/62 42 58* | €

AM ABEND

THE LEMON TREE
Gute Livemusik, sonntagsnachmittags Jazz. Ein In-Treffpunkt von Aberdeen – und als solcher meist ziemlich voll. *Tgl.* | *5 W. North Street*

AUSKUNFT

ABERDEEN TOURIST INFORMATION
26/28 Exchange Street | *Tel. 01224/28 88 28* | *Fax 62 04 15* | *www.agtb.org*

ZIELE IN DER UMGEBUNG

ARBROATH [119 E4]
In zahlreichen Räuchereien gibt es Schellfisch, denn dafür ist der Ort (22 000 Ew.) bekannt. Der Fisch wird frisch im Rauch gegart und ist warm genossen eine Köstlichkeit. Zweistöckige Häuser säumen die Straßen bis zur Abteiruine. In der 1178 erbauten Abtei wurde nach der Schlacht von Bannockburn 1320 die Unabhängigkeitserklärung Schottlands *(Declaration of Arbroath)* verfasst. *80 km südlich von Aberdeen*

BALLATER [119 D2]
Die Geschäfte des kleinen Bilderbuchorts schmücken sich mit königlichen Wappen. Die Höchstwertung sind drei Siegel, dann beliefern sie die Queen und den Prince of Wales. Die wohnen sommers im benachbarten *Balmoral Castle*. Das Schloss im schottischen Baronial Style erhebt sich aus taufeuchten Wiesen. Ein Teil der Gärten *(Mai–Juli)* sowie der Ballsaal *(Juli)* können besichtigt werden *(tgl. 10–17 Uhr* | *£ 7)*. *66 km westlich von Aberdeen*

MARCO POLO HIGHLIGHTS

★ **Crathes Castle**
Königliches Feriendomizil mit schönen Gärten (Seite 64)

★ **Ben Nevis**
Treffpunkt der Gipfelstürmer: der höchste und der romantischste Berg Schottlands (Seite 65)

★ **Glen Coe**
Das „Tal der Tränen" ist ein großartiges Naturerlebnis (Seite 65)

★ **Loch Lomond**
Der Schotten liebster und größter See – der Volksheld Rob Roy versteckte sich hier vor Feinden (Seite 68)

★ **Loch Ness**
Geheimnisvoll wie die Mythen um seinen prominentesten Bewohner: Nessie (Seite 68)

★ **Fife**
Halbinsel mit Flair (Seite 70)

BRAEMAR [118 C2]

Der Ort ist wegen des *Royal Braemar Highland Gathering* bekannt, jenes Baumstammwerfens und Seilziehens, das am ersten Samstag im September stattfindet. Wer dazu anreisen will, sollte schon im Frühjahr buchen *(Tel. 0845/225 51 21). 85 km westlich von Aberdeen*

CRATHES CASTLE ★ [119 E2]

Üppige Gartenanlage mit einem der schönsten Towerhouses Schottlands: Es gibt herrliche Deckenbemalungen, Antiquitäten und eine der ersten Holografien! Achten Sie im ersten Stock auf das Bild des Hirschen: Gehen Sie ein paar Schritte zur Seite, und es wird ein Schiff daraus *(tgl. 10.30–17 Uhr | £9 | Banchory)*. Exzellente Küche bietet das Restaurant *Milton House* gegenüber den Toren von Crathes Castle. Köstlich der Lachs auf Korianderrisotto *(North Deeside Road, Banchory | Tel. 01330/84 45 66 | €€)*. Ein paar Kilometer weiter nördlich, bei Raemoir, lockt das Hotelrestaurant *Raemoir House* mit einzigartiger Lage, guter Küche, Himmelbetten und exklusivem Service *(20 Zi. | Banchory | Tel. 01330/82 48 84 | Fax 82 21 71 | www.raemoir.com | €€€). 25 km westlich von Aberdeen*

JOHNSTON OF ELGIN [122 C5]

Wollfabriken gibt es viele – und einige davon sind leider Touristenfallen. Bei Johnston of Elgin ist das nicht der Fall. Die Manufaktur, gegründet 1797, hat sich auf hochwertige Strickwaren u.a. aus Kaschmir spezialisiert. Es gibt einen Shop, ein kleines Café, stündliche Führungen – alles überschaubar und nett gemacht. *Mo–Do 10–16 Uhr | New Mill, Elgin | Tel. 01343/55 40 99 | 104 km nordwestlich von Aberdeen*

Publikumswirksames Spektakel: Royal Highland Gathering in Braemar

FORT WILLIAM

[117 E3] Wer in Fort William ein romantisches Highland-Örtchen vermutet, wird enttäuscht. Eine kleine Fußgängerzone führt durch das 4300 Einwohner große Städtchen, das 1655 als Festung errichtet wurde. Heute ist Fort William im Schatten von Ben Nevis vor allem Verkehrsknotenpunkt und Durchgangsstation für Touren in die Highlands.

SEHENSWERTES

BEN NEVIS ⭐

Der mit 1344 m Höhe größte Berg Großbritanniens ist im Sommer Anlaufpunkt für Wanderer, Kletterer und Mountainbiker, die das romantische Nevis-Tal besuchen. Der Aufstieg ist dank eines markierten Wegs relativ einfach, allerdings sollten Sie das Wetter nicht unterschätzen. Im Nebel, der hier fast das ganze Jahr herrscht, verirren sich immer wieder Wanderer. Am Ziel treffen Gipfelstürmer dann auf die Reste eines Wetterobservatoriums aus dem 19. Jh. Nicht verpassen sollten Sie den Wasserfall *Steall Falls* am Ende der Straße, die durch das Glen-Nevis-Tal führt. Die Besteigung des Ben Nevis inklusive Abstieg ist ein anstrengender Tagesmarsch, der einige Kondition, festes Schuhwerk und Outdoor-Bekleidung voraussetzt. *Aktuelle Bilder vom Berg: visit fortwilliam.co.uk/webcam. Wettervorhersage unter Tel. 01397/70 59 22*

ESSEN & TRINKEN

CRANNOG AT THE WATERFRONT

Eine der besten Adressen für frisches, schottisches Seafood, direkt am Hafen. Ob Krabben, Austern oder Fisch – alles ist taufrisch. *Tgl. | The Under-water Centre | Tel. 01397/70 55 89 | www.crannog.net | €€*

ÜBERNACHTEN

THE LIME TREE

Highland-Kunstgalerie, bestes Restaurant der Gegend und kleines, renoviertes Hotel in einem. Das Gesamtkunstwerk ist topmodern und urgemütlich mit tollen Ausblicken. *9 Zi. | The Old Manse, Achintore Road | Tel. 01397/70 18 06 | www. limetreefortwilliam.co.uk | €€*

AUSKUNFT

FORT WILLIAM TOURIST BOARD

Cameron Square | Tel. 01397/70 37 81 | www.visit-fortwilliam.co.uk oder www.lochaber.com

ZIEL IN DER UMGEBUNG

GLEN COE ⭐   [117 E3]

Bedrohlich erheben sich die Felswände zur Rechten und Linken, immer einsamer und karstiger gibt sich die Schlucht von Glen Coe. Der Beiname „Tal der Tränen" spielt auf ein Massaker an, das sich am 13. Februar 1692 hier ereignete. Da der Clanchef der MacDonalds seinen Treueeid auf König Wilhelm von Oranien nur mit Verspätung geleistet hatte, wollte der König ein Exempel statuieren und gewann dafür den Clanchef der Campbells. Dieser quartierte sich als Gast bei den MacDonalds ein und metzelte in einer Nacht mit seinen Mannen die ganze Sippschaft nieder. Dieses grausame Ereignis dokumentiert das *Glen Coe Visitor Centre*, das auch über Wandermöglichkeiten informiert *(tgl. 10–17 Uhr | Tel. 01855/81 13 07 | www.nts.org.uk). 30 km südlich von Fort William*

INVERNESS

[122 A6] **Die 40 000 Einwohner große Stadt ist quirliger Dreh- und Angelpunkt für Touren in die Highlands. Die Kleinstadt brummt vor lauter shoppenden Highlandern und Orkney-Insulanern.** Wahrzeichen von Inverness ist der *Caledonian Canal*, der die Westküste mit der Ostküste verbindet und den Schiffen die Umrundung der Nordspitze Schottlands erspart. Das beliebte Hausbootrevier ist auf seiner Länge von über 90 km mit 29 Schleusen versehen.

▉ SEHENSWERTES ▉
RIVER NESS
Eine ruhige Alternative zum trubeligen Inverness ist ein Spaziergang oder eine Radtour entlang des Ness. Der Weg am Fluss führt vorbei an schönen Spannbrücken in Richtung Nordenende des Caledonian Canal, der sich von Inverness bis Fort William auf einer Länge von 100 km durch das *Great Glen* erstreckt. Auf dem Weg bieten sich tolle Aussichten auf den Kanal wie auch auf die Berge der Highlands am Horizont.

▉ ESSEN & TRINKEN ▉
THE RIVERHOUSE RESTAURANT
Kleines Restaurant direkt an den Ufern des Ness. *Mo geschl. | 1 Greig Street | Tel. 01463/22 20 33 | €€*

▉ ÜBERNACHTEN ▉
MELNESS GUEST HOUSE
Helle, moderne Zimmer in schönem viktorianischem Stadthaus beim Inverness Castle. Gutes Frühstück. *2 Zi. | 8 Edinburgh Road | Tel. 01463/22 09 63 | www.invernessbed andbreakfast.co.uk | €*

POLMAILY HOUSE HOTEL   [118 A1]
Mitten in der Natur: charmantes Landhotel nahe Loch Ness mit Zimmern im Laura-Ashley-Stil. Ponyreiten für Kinder, Boots- und Angelausflüge für Erwachsene. *10 Zi. | Drum-*

Schiffe am Caledonian Canal, der die Nordsee mit dem Atlantik verbindet

nadrochit *(ca. 16 km südwestlich von Inverness)* | *Tel. 01456/45 03 43* | *www.polmaily.co.uk* | €€

■ AUSKUNFT ■

INVERNESS TOURIST OFFICE
Castle Wynd/Bridge Street | *Tel. 01463/23 43 53* | *www.visithighlands. com, www.scotland-inverness.co.uk*

■ ZIELE IN DER UMGEBUNG ■

CAIRNGORM REINDEER CENTRE [118 B1]
90 Minuten (inkl. Fußmarsch) dauert die Exkursion zur Rentierherde im Glenmore Forest Park bei Aviemore *(45 km südlich von Inverness | A 9)*. Die nordische Hirschart wurde 1952 aus Schweden eingeführt und hat sich gut in die Landschaft integriert. *11 Kilometer westlich von Aviemore | an B 970 | tgl. Führungen um 11 Uhr, im Sommer (Mai–Sept.) auch um 14.30 Uhr | Tel. 01479/86 12 28 | www. reindeer-company.demon.co.uk*

CAWDOR CASTLE [122 B6]
Hier soll Macbeth König Duncan ermordet haben. Bei schlechtem Wetter ist die Kulisse schauerlich. Der Turm von 1372 wurde 200 Jahre später zu Wohnzwecken umgebaut *Tgl. 10–17 Uhr | £ 5,50 | 22 km nordöstlich von Inverness*

CULLODEN BATTLEFIELD [122 A6]
1746 wurde hier die letzte große Schlacht Großbritanniens geführt. Bonnie Prince Charles hatte tapfere Mannen um sich geschart, verlor aber in einem blutigen Kampf gegen den Earl of Cumberland. Im *Visitor Centre* wird die schottische Geschichte wieder lebendig *(tgl. 9–18 Uhr)*. *7 km östlich von Inverness*

DORNOCH [122 B4]
Dornoch lädt mit Sanddünen, langem Strand und edwardianischen Häusern zum Verweilen ein. Über 1000 Reporter belagerten Ende 2000 *Skibo Castle*, als Popikone Madonna hier Guy Ritchie ehelichte. Im diskreten *Skibo Castle* werden Übernachtungen mit einem kleinen Vermögen verrechnet *(21 Suiten | Dornoch | Tel. 01862/89 46 00 | €€€)*. *70 km nördlich von Inverness*

GLEN AFFRIC ✲ [117 E1]
Eines der romantischsten Highland-Täler (besonders schön im Herbst!) Hier findet sich noch ein letzter Bestand der im *caledonian forest* einst weit verbreiteten Kiefernart *scots pine*. So wie hier sollen die Highlands ausgesehen haben, bevor der Waldbestand über die Jahrhunderte durch Rodung und Abholzung fast ganz verschwand. Am *Loch Affric* (es gibt einen Parkplatz nahe der privaten Affric Lodge) beginnen viele Wanderungen, so eine Rundwanderum um Loch Affric (15 km). Ein Muss für Wanderer mit und ohne Stöcke sind die *Dog Falls*, ein Wasserfall unterhalb einer Staumauer. *45 km südwestlich von Inverness*

LEAULT FARM ▶▶ [118 B1]
Bordercollie-Fans aufgepasst: Auf der Leault Farm kann man den eifrigen Hunden bei ihrer Arbeit mit den Schafen zuschauen. Spannend nicht nur für Tierfreunde und Kinder! *Kincraig bei Aviemore, Abfahrt von der B 9152 | Mai–Okt. tgl. außer Sa um 12/16 Uhr | Juli, August 10–16 Uhr (alle zwei Std.) | Tel. 01540/65 13 10 | www.leaultfarm.co.uk*

LOCH NESS ⭐ [117 F1/122 A6]

Natürlich ist der See südwestlich von Inverness der schönste Schottlands: 36 km lang und 1,5 km breit, und dazu ungewöhnlich tief (325 m). Am Grund des tiefblauen Wassers wird noch immer „Nessie", das sagenhafte Ungeheuer, vermutet *(siehe auch „Ausflüge & Touren")*. Der beliebteste Ausguck für Nessie-Forscher ist *Urquhart Castle,* am Nordwestufer bei *Drumnadrochit* gelegen, eine malerische Ruine aus dem 12. Jh. Hier in Drumnadrochit ist das Zentrum des Nessie-Kults und auch die beste Ausstellung zum Thema zu sehen: *Loch Ness 2000 | tgl. 10–15.30 Uhr (letzter Einlass) | £ 5,95 | www.lochness.com*

STIRLING

[118 B6] **Imposant thront das Castle von Stirling (30 000 Ew.) auf einem 75 m hohen Vulkanfelsen über der Stadt. Im 12. Jh. war die Festungsanlage stark umkämpft und fiel 1296 den Engländern in die Hände.** Wer das Schloss besaß, kontrollierte das Land; alle wichtigen Nord-Süd-Verbindungen kreuzten sich hier. Bei der Schlacht von Stirling Bridge eroberte William Wallace das Bauwerk aus den Händen der Engländer zurück. Doch nicht für lange – dann fiel es wieder dem Feind zu. Schließlich konnte Robert the Bruce das Stirling Castle im Jahr 1314 endgültig zurückgewinnen.

■ SEHENSWERTES

LOCH LOMOND ⭐ [117 F5–6]

Der Schotten liebster und größter See. Geologisch beginnen an seinem Südufer die Highlands. Am Westufer führen Straße und Bahnlinie entlang, am ruhigen Ostufer der populäre Wanderweg *West Highland Way.* Besonders schön und wegen Rob Roys ausgeschilderten Höhlenverstecken zudem kultig ist das Stück zwischen Rowardennan, Inversnaid und der winzigen Ardlui-Fähre, die mit dem Hissen einer Boje angefordert wird. Mit dem kurzen Fährtrip über das nördliche Seeende vermeidet man die letzte Wanderstunde und ist schneller im Pub, dem *Drover's Inn* in Inverarnan *(£ 3).*

Inside Tipp

NATIONAL WALLACE MONUMENT ✵

Der Film „Braveheart" trug die Geschichte von William Wallace in die ganze Welt: An der Stirling Bridge, 2 km südlich von Stirling, schlug der schottische Nationalheld seine berühmte Schlacht. Hier liegt sein Schwert, und wer die 246 Stufen auf den 67 m hohen Turm erklimmt, hat einen spektakulären Ausblick bis nach Bannockburn. Das Schlachtfeld, auf dem Robert the Bruce 1314 die zahlenmäßig überlegenen Engländer schlug, ist heute ein Wohnviertel. Das *Bannockburn Heritage Centre* erinnert mit einer 15-minütigen audiovisuellen Vorführung an das Ereignis. *Tgl. 10.30–16 Uhr | £ 6,50*

STIRLING CASTLE

Renaissancepalast, in dem Maria Stuart 1543, noch kein Jahr alt, gekrönt wurde. Im Schloss selbst ist eine Ausstellung den Standarten und Ehrenabzeichen der Highlander gewidmet. *April–Sept. 9.30–18 Uhr, Okt.–März 9.30–17 Uhr | £ 8,50*

■ ESSEN & TRINKEN ■

Insider Tipp

HERMANN'S

Ein Österreicher und eine Schottin kochen Strudel, Schnitzel und Lachs um die Wette. Mal etwas anderes und lecker. *Tgl. | Mar Place House | Tel. 01786/45 06 32 | €–€€*

■ ÜBERNACHTEN ■

GLENEAGLES [118 C5]

Das Gleneagles-Hotel ist legendär: Es hat alle Annehmlichkeiten eines Grandhotels, liegt ca. 20 km nordöstlich von Stirling in einer weiten Parklandschaft und wurde von einem der renommiertesten Golfplatzarchitekten Großbritanniens mit einer malerischen Green-Anlage ausgestattet. Mit Falknerei. *222 Zi. | Auchterarder, Tayside | Tel. 01764/66 22 31 | www.gleneagles.com | €€€*

Nessie-Ausguck: das Urquhart Castle

QUEENS HOTEL

Kein Plüsch, keine dicken Sofas, sondern ein überraschend modern und stylish dekoriertes Hotel im hübschen, kleinen Bridge of Allan. *5 Zi. | Bridge of Allan | Tel. 01786/83 32 68 | www.queenshotelscotland.com | €–€€*

AUSKUNFT

TOURIST INFORMATION CENTRE
*41 Dumbarton Road, Stirling FK8
2QQ | Tel. 08707/20 06 20 | Fax
01786/45 00 39 | www.visitscottish
heartlands.com*

ZIELE IN DER UMGEBUNG

BLAIR CASTLE [118 B3]

Sein märchenhaft-wunderliches Aus-
sehen erhielt das Schloss im Jahr
1869. Der siebte Duke of Atholl hatte
ein Faible für den Baronial Style und
ließ das Gebäude bei Umbauten ent-
sprechend prägen. Heute werden in
32 Räumen kostbare Kunstgegen-
stände, Gemälde und Antiquitäten
ausgestellt. *Tgl. 9.30–16.30 Uhr |
£ 7,50 | www.blair-castle.co.uk | 100
km nördlich von Stirling*

DUNDEE [119 D4]

Die mit 171 000 Einwohnern viert-
größte Stadt Schottlands ziert ein altes Stadttor von 1519. Interessant ist
die Geschichte um das Schiff „Discovery", das hier gebaut wurde und mit
dem Robert Scott 1912 eine Expedi-
tion in die Antarktis unternahm. Zu
sehen ist es am Discovery Quay
*(Mo–Sa 10–17, So 11–17 Uhr | £ 6).
85 km nordöstlich von Stirling*

FIFE ★ [119 D–E5]

Auf der lieblichen Halbinsel Fife erfand Daniel Defoe seine Romanfigur

❯ BÜCHER & FILME
Komödien und Krimis, schottisch gewürzt

❯ **Der Erfinder des Todes** – Ein Killer
zerbeilt Krimiautoren frei nach ihren
Romanen. Spannende Krimilektüre
der Bühnenautorin Val McDermid mit
ein klein wenig Happy End.

❯ **Puppenspiel** – Junge Frauen werden
ermordet und immer finden sich
kleine Särge bei ihnen. Ian Rankins
düstere Krimis mit Inspektor Rebus
sind in Schottland Kult.

❯ **Der seltsame Fall des Dr. Jekyll und
Mr. Hyde** – Robert Louis Stevenson
kritisierte in seiner Erzählung 1886
indirekt das viktorianische Konven-
tionskorsett.

❯ **Der Sänger der Inseln** – Die Autobio-
grafie des feinen Orkney-Schrift-
stellers George Mackay Brown (dt.
Ausgabe 1999) ist auch eine Einführung in die Magie des Insellebens
seiner Heimat.

❯ **Local Hero** – Ein Konzern will einem
kleinen schottischen Dorf eine Raffine-
rie verpassen und schickt Burt Lancas-
ter. Der aber verfällt dem Charme des
einfachen Lebens. Feine Komödie von
Bill Forsyth aus dem Jahr 1982.

❯ **Braveheart** – Mel Gibson führte 1995
Regie und spielte die Hauptrolle in
dem Oscar-prämierten Film um den
rebellischen William Wallace, der vom
Farmer zum Schottenführer avanciert.

❯ **Rob Roy** – Regisseur Michael Caton-
Jones verfilmte 1995 die Geschichte
des Robert Roy MacGregor (Liam
Neeson), wobei die historischen Um-
stände um den schottischen Robin
Hood unscharf bleiben.

❯ **Trainspotting** – Von Danny Boyle 1996
genial umgesetzte Romanverfilmung
des Autoren Irvine Welch um ein
Drogenchaos bei Edinburgh.

Robinson Crusoe, und hier – in *St. Andrews* – hat der feinste Golfclub Großbritanniens seine Heimat. In dem 14 000-Einwohner-Städtchen dreht sich alles um den Golfsport und die älteste Universität Schottlands, an der Prince William studiert.

Lachs. Heute ist Perth (45 000 Ew.) ein guter Ausgangspunkt, um im Südosten die Halbinsel Fife und im Südwesten Stirling zu erkunden oder sich im Norden in die Highlands zu tasten. Das beste Fischlokal ist *No. 33 (33 George Street | Tel. 01738/63 37 71 |*

Bei St. Andrews überragt die Ruine der Kathedrale die Küste von Fife

Die Perle unter den Küstenorten ist *Crail:* ein zauberhafter alter Hafen, so malerisch, dass er viele Künstler inspiriert, die hier ihre Ateliers besitzen. Abends lockt *The Peat Inn*, das Kenner zu den besten Restaurants Großbritanniens rechnen *(8 Zi. | Cupar | Tel. 01334/84 02 06 | www.the peatinn.co.uk | €€€). 60 km östlich von Stirling*

PERTH [118 C5]

Perth war bis 1452 die Hauptstadt Schottlands und durch seine begünstigte Lage am Fluss Tay zugleich das Handelszentrum für Wolle und

€€). Übernachten können Sie im *Kin Fauns Castle* hoch über der Stadt *(Tel. 01738/62 07 77 | Fax 62 07 78 | www.kinfaunscastle.co.uk | €€).*

Etwas außerhalb liegt *Scone Palace.* Schottische Könige wurden dort auf dem *Stone of Scone*, einem sandsteinfarbenen Fels, inthronisiert. Skotenkönig Kenneth MacAlpin brachte im 9. Jh. den Stein, der jetzt im Castle von Edinburgh zu sehen ist, nach Perth. Im Scone Palace sind Tapisserien, Bilder und Elfenbeinarbeiten zu bewundern *(April–Okt. tgl. 9.30–17 Uhr | £ 5). 50 km nordöstlich von Stirling*

> HIGHLANDS UND ISLANDS

Wer einmal an die wildromantische Westküste Schottlands gereist ist, will immer wiederkommen

> *Hav bred ey*, „Inseln am Rand des Meeres", hießen die Hebriden bei den Wikingern. Vom Festland sieht man sie: die Inneren Hebriden, manchmal so klar, dass man meint, man könne hinüberspringen. Die Äußeren Hebriden hingegen liegen weit draußen im Atlantik: karge, aber wunderschöne Paradiese, auf denen Tweed gewebt wird und in deren Buchten Seehunde schwimmen. Wer einmal die Inseln und die Westküste besucht hat, wird sich verlieben.

Bild: Isle of Lewis, Callanish Standing Stones

ÄUSSERE HEBRIDEN/ LEWIS & HARRIS

[120 A–C 1–4] Die Doppelinsel Lewis und Harris sind durch eine schmale Landbrücke miteinander verbunden. Beim Örtchen Tarbert am Übergang zwischen den beiden

WESTKÜSTE & HEBRIDEN

Inselteilen landet man auf Harris, einer dramatischen Fels- und Meerlandschaft mit etwa 300 Insulanern. Stornoway (8000 Ew.), die Hauptstadt von Lewis, ist das Verwaltungszentrum der Äußeren Hebriden.

SEHENSWERTES

CALLANISH STANDING STONES [120 A2]

Die Kultstätte beim Ort Callanish auf Lewis wurde nach der Sonne gebaut und besteht aus 48 Steinen, deren Hauptanlage ein keltisches Kreuz ergibt – ein magischer Ort, der rund 5000 Jahre alt sein soll.

GOLDEN ROAD ★ ☀ [120 A4]

So heißt die Straße, die Mitte der 1950er-Jahre auf Harris gebaut wurde, als sich die Queen zum Besuch angesagt hatte. Sie dürfte eine der schönsten einspurigen Straßen der Welt sein: Klippen fallen steil in blaue Buchten, bei gutem Wetter

ÄUSSERE HEBRIDEN

spielen Seehunde im Wasser, tiefe Lochs breiten sich zwischen den Felsen aus. Immer wieder sieht man kleine Katen. In Werkstätten an der Straße wird noch in Handarbeit Harris-Tweed hergestellt *(siehe „Ausflüge & Touren")*.

lienbetrieb) beim Fährhafen mit Restaurant „Eleven". Idealer Ausgangspunkt zur Erkundung der Strände und Küsten von Lewis und Harris. *69 Zi. | James Street, Stornoway, Lewis | Tel. 1851/702740 | www.calad hinn.co.uk | €€*

Halten die Stellung weit draußen im Atlantik: Schafe auf Barra

▌▌ESSEN & TRINKEN▌▌
THE THAI CAFÉ   [120 B2]
Leichte Thaiküche; der beste Platz, um in Stornoway zu essen. *So geschl. | Church Street, Stornoway, Lewis | Tel. 01851/70 18 11 | €*

▌▌ÜBERNACHTEN▌▌
CALADH INN   [120 B2]
Modern renoviertes, angenehmes und preiswertes Stadthotel (im Fami-

POLOCHAR INN   [125 E5]
Einsames Inn am Strand: gutes Essen, tolle Aussichten auf die Inseln Eriskay und Barra. *11 Zi | 11 km südlich von Lochboisdale | Tel. 1878/70 07 68 | www.polocharinn.co.uk | €*

▌▌STRAND▌▌
SCARISTA BEACH ★   [120 A4]
Der Strand von Scarista im Westen von Harris ist so hell, lang, feinsan-

dig und romantisch, dass sich hier schon Paare trauen ließen. Man fährt die Hauptstraße von Tarbert Richtung Rodel, nach 15 km sieht man den Strand. Einen Kiosk gibt es nicht, es ist einsam genug für einen Picknickkorb und zwei Gläser, um dem Sonnenuntergang zuzuschauen.

■ AUSKUNFT ■

TOURIST INFORMATION CENTRE [120 B2]
26 Cromwell Street, Stornoway, Lewis | Tel. 01851/70 30 88 | www.visit hebrides.com

■ FÄHREN ■

Fährverkehr zum Festland und zu den Inseln: *Caledonian MacBrayne*. Auskünfte unter *Tel. 0990/65 00 00* oder *www.calmac.co.uk*. Für Inselrundreisen gibt es Kombitickets *(hopscotch)*.

■ INSELN IN DER UMGEBUNG ■

Insider Tipp **BARRA**   [125 D5–6]
Die Insel steht für lange Sandstrände, hohe Bergspitzen, gälische Kultur und prähistorische Ruinen. Hauptort ist das Dorf *Castlebay*. Hier sieht man auch die Burg *Kisimul Castle;* sie stammt aus dem 13. Jh. und gehört dem Clan der MacNeils. Fähren gehen aufs Festland zurück nach

Mallaig, Flüge nach Glasgow *(www.calmac.co.uk)*.

NORTH UIST   [125 E4–5]
Von Leverburgh auf Harris setzt eine Autofähre in einer guten Stunde nach North Uist über. Die drei Inseln North Uist, Benbecula und South Uist sind durch Straßendämme verbunden. Ein Tipp für Hobbyornithologen: das *Balranald-Vogelreservat*. Hier hat man 183 Vogelarten gezählt, u. a. Austernfischer und Regenpfeifer.

SOUTH UIST   [125 E4–5]
Die Westküste von South Uist bildet ein fast 40 km langer Muschelstrand, gerahmt von Dünen und Blumen, bevölkert von seltenen Tieren. Die Ostküste dagegen ist zerklüftet und unterbrochen von Seen.

INNERE HEBRIDEN/ SKYE

[120 A–C 5–6] Skye (8000 Ew.) ist nach dem norwegischen Wort skuy benannt. Es bedeutet „Wolken und Nebel", unter denen sich das Eiland manchmal versteckt.

MARCO POLO HIGHLIGHTS

★ **Golden Road**
Unterwegs zu den Tweedwebern auf einer der schönsten einspurigen Straßen der Welt (Seite 73)

★ **Scarista Beach**
Hier will man Hochzeit halten: Harris' Traumstrand für Romantiker (Seite 74)

★ **Trotternish-Halbinsel**
Überwältigende Küste und ein mystischer Fels auf der Insel Skye (Seite 76)

★ **Staffa**
Unbewohnt und bizarr: Die Insel vor Mull ist ein Kunstwerk der Natur (Seite 78)

Die schönste und abwechslungsreichste der Hebriden ist über eine Brücke am *Kyle of Lochalsh* mit dem Festland verbunden. Die Hauptstadt *Portree* liegt an der Ostküste am Sound of Raasay. Wanderer locken die *Cuillins*, ein gewaltiges Bergmassiv.

Bizarre Felsen auf Skye: „Old Man of Storr" auf der Trotternish-Halbinsel

■ SEHENSWERTES ■

CUILLINS   [116 B–C1]

Der Ort Sligachan in der Inselmitte dient als Ausgangspunkt für Touren in die *Red Cuillins*. Diese sind einfacher zu begehen als die *Black Cuillins*, deren höchster Berg der *Sgurr Alasdair* (993 m) ist.

DUNVEGAN CASTLE   [120 B6]

Im dunklen Castle wartet eine wunderlich-skurrile Sammlung, u.a. eine Locke Bonnie Prince Charlies, der sich nach verlorener Schlacht auf Skye verbarg. *März–Okt. tgl. 10–17 Uhr | £ 5 | www.dunvegancastle.com*

TROTTERNISH-
HALBINSEL ★   [120 B–C5]

Der *Old Man of Storr*, ein mystischer Fels, überragt mit einer Höhe von 45 m die Bilderbuchküste. Bei Staffin wurde das Gestein vor 50 Mio. Jahren zu Falten aufgeworfen; die Formation heißt passenderweise *Kilt Rock*.

■ ESSEN & TRINKEN
ÜBERNACHTEN

KINLOCH LODGE   [116 C2]

Im Jagdhaus ihrer Ahnen betreiben die MacDonalds heute ein charmantes Hotel. Lady Claire ist bekannt für ihre Kochkünste und gibt auch Kochkurse. *Tgl. | 15 Zi. | Broadford | Tel. 01471/83 33 33 | Fax 83 32 77 | €€*

THREE CHIMNEYS RESTAURANT [120 B6]

Mehrfach ausgezeichnet für seine frische, exquisite Küche; die Tische stehen in einem alten *crofter cottage*. Wer länger bleiben will, mietet eines der sechs exklusiven Zimmer. *Tgl. | Colbost | Tel. 01470/51 12 58 | www.threechimneys.co.uk | €€€*

WESTKÜSTE & HEBRIDEN

AUSKUNFT

TOURIST INFORMATION [120 C5]
Bayfield House, Portree | Tel. 01478/61 21 37 | www.skye.co.uk

INSELN IN DER UMGEBUNG

Insider Tipp

RAASAY ▶▶ [120 C5–6]
Auf die wenig bekannte, gebirgige Insel vor Skyes Ostküste lockt das ausgezeichnete *Raasay Outdoor Centre* mit Aktivitäten wie Segeln, See-Kayakfahren, Mountainbiking und Felsklettern. Untergebracht ist man leicht spukig im 250 Jahre alten *Raasay House*. Der Blick nach Skye ist traumhaft. *Tel. 1478/66 02 66 | www.raasayoutdoorcentre.co.uk*

RUM [116 B2]
Vom Süden Skyes sieht man auf Rum, eine Insel, die vom Scottish Natural Heritage verwaltet wird. Es gibt Wanderwege, Möglichkeiten zur Vogelbeobachtung und das *Kinloch Castle*, das von dem Weltreisenden George Bullough hinterlassen wurde. Fähren fahren von Arisaig (Festland) nach Rum. *www.calmac.co.uk*

OBAN

[117 D5] **Sichelförmig verteilen sich die Häuser am Hafen des Städtchens (7000 Ew.), das als Tor zu den Hebriden gilt und ein umtriebiger Fischerhafen mit Hotels und Restaurants ist.** Zum Wahrzeichen wurde ein Kolosseums-Nachbau, genannt *MacCaig's Folly*, den John Stewart MacCaig 1897 anlegen ließ.

SEHENSWERTES

SEA LIFE SANCTUARY
Hier tummelt sich die Meeresfauna: Robben, Delphine und 100 andere Arten. *Tgl. 10–17 Uhr | £7 | 16 km nördlich von Oban*

ESSEN & TRINKEN

EE-USK, FISH CAFÉ

Insider Tipp

Schicke Seafood- und Weinbar an der neuen Hafenfront: Fisch und französische Weine. *Tgl. | North Pier | Tel. 01631/56 56 66 | €–€€*

ÜBERNACHTEN

DUNGRIANACH B & B
Altes Haus in einem parkähnlichen Garten mit nur zwei Zimmern. *Pulpit Hill | Tel./Fax 01631/56 28 40 | www.dungrianach.com | €*

THE MANOR HOUSE ☙
Toller Blick über die Bucht, gute Küche. *11 Zi. | Gallanach Road | Tel. 01631/56 20 87 | www.manorhouse oban.com | €–€€*

▰▰ AUSKUNFT ▰▰

OBAN TOURIST INFORMATION CENTRE
Argyll Square, Oban, Argyll | Tel. 01631/56 31 22 | www.oban.org.uk

▰▰ FÄHREN ▰▰

Von Oban gibt es Fähren zu den Inneren und Äußeren Hebriden. *Ferry Terminal | Tel. 01475/65 01 00 | www.calmac.co.uk*

▰▰ ZIELE IN DER UMGEBUNG ▰▰

INVERARAY CASTLE   [117 E5]
Die granitgraue Mischung aus Trutzburg und Castle liegt direkt am *Loch Fyne*. Heute lebt hier der 12. Duke of Argyll, Ian Campbell; er öffnet sein Schloss für Besucher und zeigt dort eine Gemäldesammlung mit Werken von Allan Ramsay, Henry Raeburn u. a. *Mo–Sa 10–13, 14–17.30 Uhr | £ 5,50 | 65 km südöstlich von Oban*

ISLAY & JURA   [112 A–B 1–2]
Islay (3330 Ew.) beherbergt neben sechs Destillerien auch die erste Whiskyakademie. Hier lernt man mehr über das Erschnuppern *(nosing)* des Whiskys, die passende Speise und das würdige Benehmen *(www.islaywhiskysociety.com)*. Gute Unterkunft: *Harbour Inn* in der Inselhauptstadt Bowmore *(7 Zi. | Harbour Side | Tel. 01496/81 03 30 | www.harbour-inn.com | €€)*.
Die Fahrt von Islay (Port Askaig) nach Jura dauert wenige Minuten. Die Insel ist nur dünn besiedelt: von 200 Einwohnern und 5000 Tieren. In *Craighouse* wird Jura-Malt-Whisky gebraut. *Südwestlich von Oban*

MULL   [116 B–C 4–5]
Die drittgrößte Hebrideninsel lädt ein zu Bergwanderungen vor malerischem Meerpanorama. Die bunte Häuserfront von *Tobermory* zieht sich um eine Bucht, im *Torosay Castle* an der Ostküste findet man ein Familienschloss im viktorianischen Stil *(tgl. 10.30–17.30 Uhr)*. *Westlich von Oban*

STAFFA ★   [116 B4]
Das unbewohnte, bizarre Inselchen vor der Westküste von Mull verdankt seine Beliebtheit bei Künstlern und Touristen den einzigartigen Basaltformationen vulkanischen Ursprungs. Die hallenartige *Fingal's Cave*, wo die Bewegung der Wellen eindringliche Töne produziert, inspirierte Felix Mendelssohn-Bartholdy zu seiner berühmten „Hebriden"-Ouvertüre. Boote zur Insel starten von Iona und Fionnphort auf Mull *(tgl. | £ 20 | www.staffatrips.f9.co.uk)*, aussteigen kann man nur bei gutem Wetter.

ULLAPOOL

[121 E4] **Malerisch verteilen sich die bunten Häuschen am Hafen von Ullapool (1200 Ew.), das im Sommer zum quirligen Zentrum für Touristen wird.** Hier legen die Fähren zu den Äußeren Hebriden, nach Lewis und Harris, ab, und es gibt Ausflüge zu den *Summer Isles*, einer Gruppe kleiner Inseln, auf denen man Seehunde, Delphine und Vögel beobachten kann *(Touren mit MV „Summer Queen" | Tel. 01854/61 24 72)*.

WESTKÜSTE & HEBRIDEN

[121 E1]

▪ ESSEN & TRINKEN ▪

FERRY BOAT INN

„Pub of the Year" und Ullapools lebendigste Adresse mit ordentlichem Essen. *Tgl.* | *Shore Street* | €

▪ ÜBERNACHTEN ▪

Insider Tipp

THE CEILIDH PLACE

Ein Hotel, ganz der guten Küche und der leichten Literatur gewidmet: Auf

▪ ZIELE IN DER UMGEBUNG ▪

CAPE WRATH   [121 E1]

Eine der schönsten Wanderstrecken der Region führt von dem Örtchen *Kinlochbervie* 28 km lang am Meer entlang Richtung *Cape Wrath*. Am „Kap des Zorns", dem nördlichsten Punkt des Festlands, steht ein Leuchtturm aus dem 19. Jh. *70 km nördlich von Ullapool*

Im Hafen von Ullapool sortieren Fischer ihre Netze

jedem Zimmer findet sich eine Auswahl von Büchern. *11 Zi.* | *Main Street* | *Tel. 01854/61 21 03* | *www. ceilidhplace.com* | €€€

▪ AUSKUNFT ▪

TOURIST OFFICE

Argyle Street, Ullapool, Highland | *Tel. 01854/61 21 35* | *ullapool @host.co.uk*

INVEREWE GARDENS   [121 D4]

Insider Tipp

Am *Loche Ewe* gedeihen Akanthus, Rhododendron, Oleander, Enzian und sogar Baumfarne aus Australien. Der botanische Garten geht auf Osgood Mackenzie zurück, der um 1862 begann, ein Stück Brachland neben dem elterlichen Gut zu bepflanzen *Tgl. 9.30–17 Uhr* | *£ 6* | *80 km südlich von Ullapool, bei Poolewe*

> ATLANTISCHES LEBENSGEFÜHL
Zwischen salzigen Weiden, Seevögeln und einer über 5000 Jahre alten Lebenslinie finden Reisende geschäftige Bauern und Fischer

> Die Meerenge des Pentland Firth trennt die Melancholie der Highlands von den flachen Weiden Orkneys, die von traumhaften Sandstränden gesäumt werden.
Auf 18 der 68 Inseln betreiben etwa 20000 Orkadier erfolgreich Viehzucht. Ihr relativer Wohlstand rührt daher, dass sie während des Ersten Weltkriegs den im Binnenmeer *Scapa Flow* stationierten englischen Marinesoldaten Lebensmittel verkauften. Mit dem Geld erwarben die

Bauern nach dem Krieg Farmland und beendeten so ihre Pacht-Abhängigkeit von den Landbaronen.
Sind die Menschen auf den Orkneys in erster Linie Bauern, die nebenbei ein Boot zum Fischen besitzen, machen es die 23000 weiter nördlich lebenden Bewohner der Shetland-Inseln umgekehrt: Viele arbeiten im Fischfang und halten sich dazu ein paar Schafe und Shetlandponys. Hinzu kommen bei beiden Archipelen seit 35 Jahren Tan-

Bild: Orkneys, Klippenküste bei Yesnaby

ORKNEYS & SHETLANDS

tiemen für die Ölförderung in der Nordsee, die den Insulanern mehr zivilisatorische Annehmlichkeiten gestatten, als das in dieser Randlage sonst möglich wäre. Dass man aber im hohen Norden schon sehr lange ganz gut zu wohnen weiß, zeigt die vor allem auf Orkney sichtbare, über 5000-jährige Besiedlungsgeschichte. Shetland lockt mit Schottlands rausem Charme, dem vielfältigsten Vogelleben und den nördlichsten Lichtspielen.

ORKNEY ISLANDS/ MAINLAND

[123 D–E 2–3] Gute Straßen führen durch die von Weideland und einigen Lochs geprägte, zerklüftete, meist flache Hauptinsel des orkadischen Archipels. Mit ihrer maximalen Ausdehnung von etwa 35 x 20 km ist sie auch das größte Eiland der Inselgruppe. Rundum prägen Strände und im Westen wunderschöne Klippen die Küste. Der Hauptort *Kirkwall* (6100 Ew.) gibt sich zwischen Hafen und schöner Sandsteinkathedrale sehr geschäftig. Der kleine Flughafen ist nur ein paar Kilometer von Kirkwall entfernt.

Steinzeitwohnungen: Skara Brae auf Orkney, Mainland

■ SEHENSWERTES

Insider Tipp ITALIAN CHAPEL ✂ [123 E3]

Italienische Kriegsgefangene, die ab 1943 zwischen den Inseln Betonquaderdämme zur Abwehr von deutschen U-Booten errichten mussten, bauten und malten eine Halbtonnenscheune zur Kapelle um. Entstanden ist ein berührendes Bauwerk mit herrlichem Meerblick. *7 km südlich von Kirkwall*

MAESHOWE [123 E2]

Großes steinzeitliches Kammergrab bei Finstown, in das man nur gebückt hineinwatscheln kann, um am Ende umfangreiche Runenzeichnungen von Wikingern zu entdecken, die hier vermutlich vor Stürmen Zuflucht suchten. Die Schriftzeichen besingen eine gewisse „schöne Ingeborg" und zieren heute Orkney-Schmuck.

ORKNEY MUSEUM [123 E2]

Im Tankerness House gegenüber der Kathedrale in Kirkwall wird die erstaunliche, über 5000 Jahre alte Besiedlungsgeschichte der Orkneys erzählt. *Mo–Sa 10.30–17 (Okt.–März 12.30–13.30 Uhr geschl.) | Mai–Sept. auch So 14–17 Uhr*

PIER ART CENTRE [123 E3] Insider Tipp

Kunst im Hafen: urige Galerie für zeitgenössische britische Kunst in Stromness. *Di–Sa 10.30–12.30 und 13.30–17 Uhr | Victoria Street*

RING OF BRODGAR ★ [123 E2]

Einer der beeindruckendsten Steinkreise Schottlands mit bis zu 5 m hohen Stelen liegt gleich um die Ecke von Maeshowe und den *Standing Stones of Stenness.* Wissenschaftler gehen davon aus, dass er etwa 300 Jahre jünger ist als Skara Brae. *23 km nordwestlich von Kirkwall*

SKARA BRAE ★ [123 D2]

Die besterhaltene Siedlung der Jungsteinzeit in Europa: Die Ruinen an der Westküste zeigen, wie man sich vor 5000 Jahren einrichtete. Im Jahr 1850 legte ein Sturm die vom Sand verwehten acht Wohnhäuser frei. *30 km nordwestlich von Kirkwall*

> ❯ *www.marcopolo.de/schottland*

ST. MAGNUS CATHEDRAL [123 E2]

Als die herrliche Kathedrale 1137 aus rosa Sandstein gebaut wurde, lag sie noch direkt am Meer. Heute steht sie im Zentrum Kirkwalls und ist noch immer einer der atmosphärisch schönsten Sakralbauten Nordeuropas.

STROMNESS [123 E3]

Im Ex-Heringsfischereihafen mit den Flagstone-gedeckten Häusern nahmen Nordmeerexpeditionen (u. a. Sir John Franklin) Trinkwasser an Bord. Das 1800-Seelen-Städtchen ist der poetisch-melancholischste Ort Nordschottlands. In der engen, herbschönen Hauptgasse lohnt das Verweilen, um in den lebhaften Pubs Livemusik zu hören. Stromness dient als Sprungbrett zur zauberhaften Insel *Hoy* (30 Min. Fährfahrt) und für Tauchausflüge ins *Scapa Flow*. Neben dem Campingplatz am Hafen gibt es einen Golfplatz mit traumhaften Aussichten.

Insider Tipp

Sakraler Traum: die Magnus-Kathedrale

YESNABY SEA STACKS & MARWICK HEAD [123 D2]

Zwei dramatische Klippenszenarios an der Nordwestküste von Mainland. Küstenwanderer kommen von Mai bis August vielen Tausenden brütenden Seevögel (Papageitaucher, Eissturmvögel, Alke u. a.) nahe.

■■■ ESSEN & TRINKEN ■■■

CREEL INN & RESTAURANT [123 E3]

Eine Top-Seafood-Adresse und ein gemütliches Landgasthaus *(3 Zi. | €)*.

MARCO POLO HIGHLIGHTS

★ Ring of Brodgar
Im Durchmesser größer als Stonehenge: Der große Steinkreis ist Orkneys mystisches Highlight (Seite 82)

★ Skara Brae
Wiederentdeckte, sehr gut erhaltene Siedlung aus der Jungsteinzeit (Seite 82)

★ Hoy
Zweitgrößte Orkney-Insel mit Papageientaucherkolonien und bizarrer roter Sandsteinküste (Seite 85)

★ Mousa Broch
Abends schön gruselig: piktische Wohnturmruine in atemberaubender Lage (Seite 86)

Reservieren! *Juni–Aug. Mo geschl. (im Winter komplett geschl). | ca. 8 km südlich von Kirkwall | Tel. 01856/83 13 11 | €€–€€€*

JULIA'S CAFÉ   [123 E3]
Pies, Kuchen, Vegetarisches von früh bis spät. Alles ist selbst gemacht und schmeckt auch den Einheimischen bestens. *Tgl. | Pier Head | Stromness | Tel. 01856/85 09 04 | €*

■ EINKAUFEN ■

Mainland ist ein Paradies für jeden, der hochwertiges, von der regionalen

>LOW BUDGET

> Wer mit Zeit und Geld ökonomisch umgehen will, unternimmt auf Mainland und Hoy thematische Kleinbustouren mit *Wild About Orkney. April–Sept.* | Tel. 01856/85 10 11 | *www.wildaboutorkney.com*
> Gute Unterkunft in schöner Lage: Das *Hamnavoe Hostel* liegt in einem atmosphärisch-magischen Küstenort. *13 Betten* | Tel. 01856/85 12 02 | *10a, North End Road Stromness*
> Ökologisch bewirtschaftet: Das *Observatory Hostel* befindet sich auf dem Grundstück einer Vogelbeobachtungsstation auf der nördlichsten Orkney-Insel. Reservieren! *10 Betten* | Tel. 01857/63 32 00 | *North Ronaldsay*
> Shetland on a shoestring: Die *Camping Böds* sind acht preiswerte, simple Unterkünfte ohne Bewirtschaftung, meist in toller Lage und mit Historie. Den Namen entleihen sie alten Fischerkaten. *Schlafsack und Kocher mitbringen. April–Sept.* | *www.camping-bods.com*

Kultur geprägtes Kunsthandwerk kaufen möchte. Die kreative Inspiration durch nordische und keltische Mythen der mehr als 5000 Jahre alten Menschheitsgeschichte sowie durch die Natur sind augenfällig. *Der Orkney Craft Trail (www.orkneydesig nercrafts.com)* und der *Artist's Studio Trail (www.orkneyartstrail.co.uk)* führen zu den einzelnen Adressen.

HIGHLAND-PARK-BRENNEREI   [123 E2]
In der nördlichsten Maltwhisky-Brennerei des Landes kann man noch das Keimen der Gerste *(floormalting)* beobachten. *Führungen tgl. 10–16 Uhr | Holm Road, Kirkwall | Tel. 01856/87 46 19*

■ ÜBERNACHTEN ■
AYRE HOTEL   [123 E2]
Gemütliche Landhausatmosphäre im Hauptort. Gediegener geht's in Kirkwall nicht. *33 Zi. | Ayre Road, Kirkwall | Tel. 01856/87 30 01 | Fax 87 62 89 | www.ayrehotel.co.uk | €€€*

STROMNESS HOTEL ▶▶   [123 E3]
Ein wenig wie Grandhotel mit Disko, plus Bar für Fisherman's Friends. Zimmer mit Hafenblick erfragen. *42 Zi. | Pier Head, Stromness | Tel. 01856/85 02 98 | Fax 85 06 10 | www.stromnesshotel.com | €€*

■ FREIZEIT & SPORT ■
SCAPA FLOW DIVING
Fast wie ein Binnenmeer liegt *Scapa Flow* [123 E5] Zwischen den Inseln Mainland, Hoy und South Ronaldsay. Mittendrin versenkt, liegen in 26 bis 46 m Tiefe ein halbes Dutzend deutscher Kriegsschiffe aus dem Ersten Weltkrieg. Wracktauchfahrten

für erfahrene Taucher starten von Stromness. Auskunft und Ausrüstung: *The Diving Cellar | 4 Victoria Street, Stromness | Tel. 01856/85 03 95 | www.divescapaflow.co.uk*

■ AUSKUNFT

TOURIST INFORMATION CENTRE [123 E2]
6 Broad Street, Kirkwall | Tel. 01856/87 28 56 | Fax 87 62 89 | www.visitorkney.com

■ INSELN IN DER UMGEBUNG

HOY ★   [123 D–E3]
Die zweitgrößte Orkneyinsel lohnt einen Ausflug. Wanderer entdecken Heidehügel, Papageitaucherkolonien und Sandsteinklippen, die im Son-

nenuntergang wunderbar rot leuchten. Die traumhafte, dreistündige Wanderung von der dramatischen Rackwick Bay im Westen zur phantastischen Felsnadel *Old Man of Hoy* wird unvergesslich bleiben. Die Fährfahrt von und nach Stromness/Mainland *(zwei- bis dreimal tgl.)* ist bereits eine schöne Minikreuzfahrt *(Tel. 01856/79 13 13)*. Informationen: *Tourist Information Stromness (am Hafen)*

NORTH RONALDSAY   [123 F1] *Insider Tipp*
Wie ein Symbol für das Leben einer kleinen, isolierten Inselgemeinschaft umgibt ein 21 km langer Deich die abgelegenste Orkneyinsel. Er hält die

The Old Man of Hoy – die „lange Anna" der zweitgößten Orkneyinsel

Schafe von den Weiden fern und zwingt sie zur Seetangdiät in der Nachbarschaft vieler Robben und Seevögel. Ein atemberaubender Sandstrand, das von Wind- und Solarenergie versorgte Naturzentrum *Bird Observatory (www.nrbo.f2s.com)* sowie ein alter, steinerner Leuchtturm sind die zweieinhalbstündige Kreuzfahrt von Kirkwall aus wert. Tipp: Übernachten Sie auf der Insel, und lassen Sie sich von dem kleinen Inselflieger *(www.loganair.co.uk)* zurückbringen – ein tolles Sightseeing-Abenteuer. Info: *Tourist Information Kirkwall | www.orkneyferries.co.uk |*

Insider Tipp

SHETLAND ISLANDS/ MAINLAND

[124 B 2–5] **Lang gestreckt, durch Fjorde** *(voes)* **und Buchten attraktiv zerklüftet, präsentiert sich die größte Shetland-Insel. Lerwick (7300 Ew.) ist Hauptort, wichtigster Hafen und Herz der von windumtosten Hügeln bestimmten Insel.** Die Landschaft sieht aus wie Miniatur-Highlands, mit einigen herrlichen Sandstränden und dramatischer Felsküste. Im Süden liegen der Flugha-

fen, die Klippe *Sumburgh Head*, das Wrack des havarierten Öltankers „Braer" und archäologische Ausgrabungen. Ortsnamen und geografische Bezeichnungen erinnern an die Zeit der Wikinger, und auch heute schaut Shetland lieber nach Norwegen als nach Edinburgh oder London.

■■■SEHENSWERTES■■■

JARLSHOF [124 B5]
Prunkstück unter den Fundorten nordatlantischer Besiedlungsspuren. Stein- und Bronzezeit, Pikten- und Wikingerära, Mittelalter und Neuzeit. *Sumburgh Head | April–Sept. Mo–Sa 9.30–18.30, So 14–18.30 Uhr*

MOUSA BROCH ★ [124 B4]
Brochs waren doppelwandige Wohntürme der Pikten, und dieser ist mit 13 m Höhe Schottlands mächtigster. Den Turm auf der vorgelagerten Insel Mousa umweht eine schön gruselige Spukatmosphäre, vor allem, wenn in der Abenddämmerung Tausende kleiner, schwarzer Sturmschwalben aus dem Felsstrand zu Füßen des Turms aufsteigen. *Fähre von Sandwick*

ST. NINIAN'S ISLE [124 B4]
Bei Ebbe erstreckt sich ein goldener Sandstrand hinüber zur vorgelager-

> SCOTTISH FOLK
Die besten Musiker kommen aus Shetland und Orkney

Gerade auf Shetland gibt es eine ungebrochene Tradition der Hausmusik, besonders des Fiddelns, das sogar in der Grundschule gelehrt wird. Dabei pflegt man ein enges Verhältnis zu den Musikern der Westküste Norwegens. Dorthin fühlt man eine weitaus größere Verwandtschaft als nach Schottland. Diese gemeinsame nordische Wellenlänge wird einmal jährlich bei den Folkfestivals von Orkney (Ende Mai) und Shetland (Anfang April) ausgetestet.

ten Insel, auf der man Kirchenfragmente und einen keltischen Silberschatz ausgegraben hat.

ESSEN & TRINKEN

BUSTA HOUSE HOTEL [124 B3]

Das romantisch gelegene Landhotel *(22 Zi. | €€)* verbindet Historie mit moderner Gastfreundlichkeit und Eleganz. Die Küche ist die feinste auf Shetland; drei Gänge in der Bar oder vier im Restaurant. *Tgl. | Brae | Tel. 01806/52 25 06 | www.busta house.com | €€–€€€*

MONTY'S BISTRO [124 B4]

Hier isst man im Örtchen Lerwick am besten: selbst gemachtes Brot, Seafood und leckere Puddings. *Tgl. | 5 Mounthooly Street, Lerwick | Tel. 01595/69 65 55 | €–€€*

ÜBERNACHTEN

SUMBURGH HOTEL ✻ [124 B5]

Wegen der Atmosphäre am Ende der Welt, des ausgezeichneten Lachses und der unmittelbaren Nähe zu Jarlshof und zum herrlichen *Kap Sumburgh Head* sollte man in diesem ehemaligen Herrenhaus absteigen und (nicht nur) den Ausblick genießen. *32 Zi. | Sumburgh | Tel. 01950/46 02 01 | www.sumburghhotel.com | €€*

AUSKUNFT

TOURIST INFORMATION CENTRE [124 B4]

Market Cross, Lerwick | Tel. 01595/69 34 34 | Fax 69 58 07 | www.visitshetland.com

INSELN IN DER UMGEBUNG

FOULA [124 A4]

Wilde, gebirgige Insel (40 Ew.) mit Millionen von Seevögeln. Skuas –

ca. 3500 Paare sind hier heimisch – greifen sogar Torf stechende Insulaner an. Imposant ist die Felsformation *Gaada Stack* vor der Nordküste. Man wandert und kommt im *Leraback B & B (Tel. 01595/75 32 26 | bryan@foula.net | €)* unter. *Bootstrip*

Schafzüchter auf den Shetlands

(2–3 Std.) von Walls oder Scalloway zweimal wöchentlich | Buszubringer von Lerwick; Flug von Tingwall (30 Min.) viermal pro Woche

UNST ✻ [124 C1]

Auf dieser Insel liegt Shetlands Nordkap: *Herma Ness.* Wanderer haben Traumaussichten über die von Vögeln beherrschte Steilküste bis zum Leuchtturm. Mit dem Auto über Roll-on-roll-off-Fähren gut erreichbar.

> UNTERWEGS ZU UNGEHEUERN UND EINSAMEN INSELN

Die Magie Schottlands beginnt oft schon am Straßenrand

Die Touren sind auf dem hinteren Umschlag und im Reiseatlas grün markiert

1 DAS GEHEIMNIS VON LOCH NESS

Scharf wie mit einem Messer ist Loch Ness in die Highlands geschnitten. Unter seiner Oberfläche ruht ein Geheimnis, das seit Jahrhunderten die Gemüter bewegt: das Ungeheuer von Loch Ness. Der See ist fast 38 km lang, misst aber nur 1,5 km in der Breite. Eine ein- bis zweitägige Spurensuche mit dem Wagen zu den geheimnisvollsten Orten. Rundstrecke ca. 100 km

Drumnadrochit, die Kapitale der Nessie-Forschung am Nordufer von Loch Ness, erreichen Sie von Inverness (S. 66) aus über die A 82. Hier gibt es eine Handvoll Hotels, ein preisgekröntes Pub, einen Lebensmittelladen und zwei Ausstellungen zum Seeungeheuer. Die eine populär, bunt und nicht so empfehlenswert, die andere, *Loch Ness 2000 (tgl. | April/Mai/Okt. 9.30–17 Uhr; Juni/ Sept. 9–18 Uhr; Juli/Aug. 9–20 Uhr |*

Bild: Boot auf dem Loch Ness

AUSFLÜGE
& TOUREN

£5,95 | *www.lochness.com*), ist interessant für Leute, die immer schon gedacht haben, mit Nessie könne etwas nicht stimmen. Die Schau wurde von Adrian Shine konzipiert. Er kam vor 30 Jahren als Monsterjäger zum Loch Ness und entwickelte sich mit der Zeit zum Skeptiker. Akribisch trug er Beweise zum Pro und Contra für die Existenz von Nessie zusammen.

Zum ersten Mal war das Ungeheuer 565 von einem irischen Missionar er-

späht worden. Seit 1933 eine Straße um Loch Ness ausgebaut wurde, mehrten sich die Augenzeugenberichte. Heute streifen bis zu 240000 Besucher jährlich um den See, täglich kreuzen hier mit Video- und Sonargeräten ausgerüstete Späherboote.

Wer sich mit auf die Suche machen will, steigt zu George Edwards ins Boot *(Loch Ness Cruises | Ticket-Vorbestellung Tel. 01456/45 03 95 | 1 Std. | £10 | loch-ness-cruises.co.uk)*.

Unter dem Bootsrumpf schwappt dunkel und geheimnisvoll der See. George schmettert ins Mikrofon: „Halten Sie die Kameras bereit". Das Wasser führt in dunkle Tiefen bis gut 300 m und ist ein gigantisches Frischwasserbecken, das sich nach der Eiszeit bildete – das perfekte Versteck für eine unbekannte Spezies.

Entlarvt: Nessie ist ein Plüschungeheuer

Steve Feltham nennt sich „fulltime monster hunter". Man trifft ihn im Örtchen Dores am Ostufer. Dazu folgen Sie der A 82 nach Fort Augustus an der Südspitze des Sees und fahren auf der Ostseite Richtung Inverness. Ab Foyers führt die Straße wieder direkt am Loch Ness entlang nach Dores. Am Seeufer, unterhalb des Pubs The Dores Inn, steht Felthams Domizil, ein Wohnmobil mit dem Schriftzug: „Nessie-Sery Independent Research" und dem Verweis auf Felthams Job: hauptberuflicher Monsterjäger. Weil er davon nicht leben kann, knetet er kleine Nessie-Figuren aus bunter Fimomasse und verkauft sie für £ 7 pro Stück.

Insider Tipp

Wer später angemessen logieren und die Geschichten über Nessie nachklingen lassen will, folgt der B 862 nach Inverness und orientiert sich an der Ausschilderung Culloden Battlefield (B 851). Hier geht es zum berühmten Culloden House Hotel, wo Sie stilvoll nächtigen können.

2 TWEED-TOUR AUF LEWIS UND HARRIS

Ein typisches Geräusch für die im Atlantik gelegenen Äußeren Hebrideninseln Harris und Lewis ist das Klappern von Webstühlen. Seit Jahrhunderten wird hier Harris-Tweed gefertigt. Die meisten Weber leben an der „Golden Road" von Harris, in einer Landschaft, die an die grünen Hügel Irlands erinnert. Von den Highlands aus kann man die Inseln mit dem Wagen ansteuern und dort eine zweitägige Autorundfahrt unternehmen. Rundstrecke ca. 280 km.

In der Saison bringt die Fähre Caledonian MacBrayne (www.calmac.co.uk) dreimal täglich Passagiere und Fahrzeuge in zweieinhalb Stunden von Ullapool nach Stornoway auf Lewis (S. 72), an dessen Fischerhafen abends die Boote einlaufen und Seehunde am Kai nach Resten schnappen. Über dem Hafen erhebt sich Lewis Castle, das im 19. Jh. von Sir James Matheson gebaut wurde und heute als technisches College dient.

Sie starten die Inseltour von Stornoway aus auf der A 857, überqueren die schmale Seite der Insel und folgen ab Barvas der A 857 am Meer entlang zum Butt of Lewis, dem äußersten Zipfel im Norden. Hier gibt es den kleinen Strand Tràigh Sands und zahlreiche Crofters, Kleinbauern, die in ihren Häusern Zimmer vermieten. Da die Straße hier endet, müssen Sie den gleichen Weg zurückfahren, immer am Meer entlang – und werden mit ☆ schönsten Ausblicken belohnt. Sie folgen dem Meer auch weiter, auf der A 858, Richtung Harris. Bei **Arnol**, einer kleinen Gemeinde, stehen noch die alten Crofter-Häuser, die **black houses**, rußgeschwärzt und mit Feuerstellen und alten Bauernmöbeln eingerichtet. An der Küste von Lewis findet man auch den **Dun Carloway Broch**, die Ruine einer rund 2000 Jahre alten Fluchtburg. Die größte mythische Aura umgibt jedoch die **Callanish Standing Stones** *(S. 73)*, eine Kultstätte, die nach der Sonne gebaut ist, aus 48 Steinen besteht und deren Hauptanlage ein keltisches Kreuz ergibt. Der magische Ort soll 5000 Jahre alt sein.

Hinter Achmore stoßen Sie auf die A 859, auf die Sie nach rechts Richtung Harris einbiegen. Bei Tarbert erreichen Sie den Übergang zur schönen Nachbarinsel **Harris**. Gerade einmal 8 km sind es zur ☆ **Golden Road** *(S. 73)*, einer schmalen Straße, die phantastische Blicke aufs Meer bietet. Fahren Sie auf der A 859 weiter, finden Sie die schönsten Strände der Welt, z.B. den Strand von **Scarista** *(S. 74)* im Westen von Harris: der Sand ein unendliches Weiß, das Meer turmalinfarben.

Der Strand von **Luskentyre** ähnelt einem Halbmond, sanft gleitet er ins Meer. Das Wasser ist so klar, dass man den Grund sieht. Luskentyre besteht aus einer Reihe von acht Häusern und einem Friedhof am Meer. Handgeschriebene Schilder führen zu den Tweed-Webern. Sie

Auf Harris gibt es die schönsten Strände

sitzen in kleinen Häusern an ihren großen Webstühlen und fertigen Harris-Tweed. Den Kilt-Stoff Tartan webt Donald John Mackay; er arbeitet in einem Schuppen mit Blick auf den Strand *(Haus No. 6, Luskentyre)*. Außerdem bietet er eine kleine Auswahl von Westen, Taschen und Hüten aus Tweed an.

Rodel ist der Endpunkt der Route. Über die etwas kürzere Strecke entlang der Südostküste von Harris fahren Sie zurück nach Lewis.

EIN TAG IN EDINBURGH

Action pur und einmalige Erlebnisse.
Gehen Sie auf Tour mit unserem Szene-Scout

AUFWACHEN MIT AUSBLICK

8:30

Frühstücken mit Aussicht auf die belebteste und beliebteste Straße der Stadt. Omelette oder Kuchen schnappen, einen Platz am Fenster ergattern und Leute beobachten. Macht Spaß! **WO?** *170 High Street | www.alwayssunday.co.uk*

10:00

RADELTOUR

Rauf aufs Bike! Sportliche drei Stunden Sightseeing warten. Aber keine Sorge, alle paar Minuten wird angehalten und der Guide erklärt die Sehenswürdigkeiten. **WO?** *Treffpunkt: Abbey Sanctuary Bookshop | Holyrood Palace am Ende der Royal Mile | Anmeldung nötig: Tel. 07966 44 72 06 | Preis: £ 15 | www.edinburghcycletour.com*

ABSCHLAG

13:30

Konzentration! Zehn Kilometer östlich von Edinburgh wird nun auf dem ältesten Golfplatz der Welt der kleine, weiße Ball geschlagen. **WO?** *Musselburgh Links, The Old Golf Course, Balcarres Road, Musselburgh | Tel. 0131 665 54 38 | www.musselburgholdlinks.co.uk*

15:00

ULTRALEICHT-FLUG

Nach 30 Kilometern erreicht man North Berwick, wo der Microlight-Flieger bereit steht. Sobald man eingestiegen ist, schraubt er sich in die Höhe. Man spürt den Wind und sieht die Landschaft unter sich immer kleiner werden – Genuss pur! **WO?** *East Fortune Airfield, North Berwick, East Lothian | 30 Min. für £ 55 | Anmeldung nötig: Tel. 01620 88 03 32 | www.eosm.co.uk*

DER KLEINE HUNGER

17:00

Nach der Landung geht's zurück nach Edinburgh. Für den Snack zwischendurch ist der Gourmet-Takeaway *Appetite@Rowlands* die beste Adresse. Design-Food wie gefüllte Auberginenröllchen oder Fisch-Pie überzeugen einfach jeden. Yummy! **WO?** *42 Howe Street | www.appetitedirect.com*

24 h

LET'S DANCE!
18:00

Im Dreiviertel-Takt geht hier gar nichts! Beim Tanzworkshop der *Dancebase* heißt es Ohren und Augen auf und nachgemacht. Beim Highland Dance fühlt man den Spirit Schottlands. Keine Sorge: Kilt ist dabei nicht Pflicht. **WO?** *National Centre for Dance, 14–16 Grassmarket | Tel. 0131 225 55 25 | 60 Min. für £ 6.50 | www.dancebase.co.uk*

19:30
DER MIX MACHT'S

Pubs gibt es in Edinburgh wie Sand am Meer. Um sich im Kneipen-Dschungel zurechtzufinden, geht man mit zwei professionellen Schauspielern auf *Literary Pub Tour* und wandelt so auf den Spuren schottischer Schriftsteller. Bei Drinks und Schauspieleinlagen

vergeht die Zeit wie im Flug. **WO?** *Start im The Beehive Inn, 18–20 Grassmarket | £ 9 | www.edinburghliterarypubtour.co.uk*

QUAL DER WAHL
22:00

Kein Wunder, wenn jetzt der Magen knurrt. Literatur macht anscheinend hungrig. Wie klingt denn zum Beispiel: Hähnchen mit gegrillten Nudeln und grüner Currysauce? Die Küche in der angesagten *Candy Bar* ist international. Die Wahl ist schwierig, denn die Karte hat tatsächlich 14 Seiten und alle Kreationen schmecken phantastisch. **WO?** *113–115 George Street | www.candybaredinburgh.co.uk*

23:30
BÜHNENREIF

Live, unmittelbar, direkt – die Gigs in der *Queen's Hall* sind einmalig. Der Grund: Die Konzerthalle war ursprünglich eine Kirche. Jetzt sorgt ein DJ für den richtigen Beat und man tanzt und feiert bis der Morgen naht. Hier wird die Nacht zum Event. **WO?** *Clerk Street | Info-Telefon: 0131 668 20 19 | www.thequeenshall.net*

> SPASS BEI JEDEM WETTER

Wandern, Angeln, Golfen, Segeln:
Es gibt zahlreiche Möglichkeiten, Schottland aktiv zu erleben

> In Schottland spielt eigentlich jeder Golf. Auch Urlauber können auf den Greens spielen und lernen, meist überall recht preiswert. Die herrlichen Küsten verlocken auch Segelanfänger, sich Schottland mal von draußen anzuschauen. Für die Highlands und Glens sollte man auf keinen Fall die Wanderschuhe und -stöcke vergessen und auch mal ein Mountainbike für eine Geländetour ausleihen. Die zahlreichen Gewässer wiederum sind des Anglers und des Rafters Lust. Ein tolles Outdoor-Zentrum (preisgünstige Übernachtung) ist der *Great Glen Water Park (South Laggan, bei Spean Bridge).* Im Angebot ist unter anderem White-water-Rafting. *Tel. 1809/50 13 40* | **Insider Tipp**
www.monsteractivities.com

ANGELN

„Petri Heil" heißt es überall dort, wo sich ein fließendes oder stehendes Gewässer findet. Als Besucher kann

Bild: Golfanlage St. Andrews, Old Course

SPORT & AKTIVITÄTEN

man sich beim örtlichen Tourist Office nach Tageslizenzen erkundigen, die man meist im Postamt oder beim Anglerverein erhält. In der Regel werden dafür Gebühren um die fünf Euro fällig, wie für Hecht- oder Karpfenfang. Für den Lachsfang müssen allerdings an den besten Stellen schon mal 500 Euro investiert werden. Landhotels bieten ihren Gästen häufig kostenlose Angelmöglichkeiten. Forellenfang ist von März bis Oktober möglich, die Lachssaison in den Flüssen geht von Januar bis Okt. Besonders die Flüsse Tweed, Spey und Dee sind tolle Lachsreviere, die zahlreichen größeren Lochs in den Highlands sind Top-Forellengebiete: *www.fishing-scotland.net*.

GOLF

★ Fast jeder Ort hat einen Golfplatz, und auch auf den entlegensten Inseln darf man schon ab etwa 10

Euro aufs lokale Green. Man klopft einfach an die Tür des Golfclubs. Wer zum ersten Mal einen Abschlag üben möchte, kann das in einem der zahlreichen Golfhotels tun – es muss ja nicht gleich das berühmte *Gleneagles* in Perthshire sein. Geübte Spieler, die auf den Edelplätzen wie *St. Andrews* oder *Troon* abschlagen wollen, zahlen ab 300 Euro und sollten Wochen im Voraus reservieren. Info: *www.golfing-scotland.com*

KANU

Zahlreiche Flüsse, 6000 Seen und über 11 000 km Küste halten für Kanuten und Kajakfahrer tolle Reviere aller Schwierigkeitsgrade bereit. Gute Wassersportzentren wie etwa im Örtchen *Elie (Region Fife | Tel. 01333/33 09 62)* oder *Croft-na-Caber (Loch Tay | Tel. 01887/83 05 88)* bieten Kurse und Boote an. Meist gibt es Campingplätze und genügend B & Bs vor Ort. Besonders empfehlenswert

Insider Tipp ist das Raasay Outdoor Centre auf der Skye benachbarten kleinen Insel Raasay *(auch Segeln, Felsklettern, Bogenschießen: Raasay House | Tel. 01478/66 02 66 | www.raasay-house.co.uk)*. Ein unvergessliches Erlebnis ist der bootunterstützte einwöchige Seekajaktrip von Meavaig auf der Hebrideninsel Lewis zum unbewohnten, spektakulären Archipel *St. Kilda (Meavaig | Tel. 01851/82 07 26 | www.canoehebrides.com)*.

RAD FAHREN

Beschaulich, wenn auch nicht ohne Hügel, ist das verkehrsarme und gut gekennzeichnete Radwanderterrain

Insider Tipp der Borders-Region. Die 4 Abbeys Cycle Route verknüpft die Abteiruinen auf einem Rundkurs von 90 km; der *Tweed Cycle Way* erkundet die Borders von Biggar nach Berwick-upon-Tweed entlang der Ostküste auf 145 km *(www.bestoftheborders.co.uk)*. Die gut markierte *Great Glen Cycle Route* führt über 130 km von Fort William nach Inverness. *Infos über Langstreckenradwege: www.cycle-n-sleep.co.uk*. Sportliches Mountainbiken ist etwa im *Leanachan Forest* in der Nevis Range zu empfehlen: *Off Beat Bikes | 117 High Street, Fort William | Tel./Fax 0139/70 40 08 | www.offbeatbikes.co.uk*

SEGELN, SURFEN & WINDSURFEN

Die Gewässer zwischen den Inneren Hebriden und um Skye herum sind anspruchsvolle Segelreviere. Von Rothesay auf der Insel Bute kann man beschauliche Tagestörns oder Wochentrips unternehmen. Veranstalter: *Bute Sailing School | Rothesay, Battery Place | Tel. 01700/50 48 81*. Informationen über Charter und Segelschulungen gibt es unter *www.sailscotland.co.uk*.

Windsurfen und Dinghy-Segeln lohnen sich für Anfänger auf dem Loch Lomond; für Fortgeschrittene an der Westküste mit der *Tighnabruaich Sailing School*, die einwöchige Segelkurse gibt *(Tighnabruaich, Argyll | Tel. 01700/81 17 17 | www.tssargyll.co.uk)*. Surfer finden am Mull of Kintyre in Machrihanish und auf *Lewis* tolle Bedingungen vor *(Stornoway | Hebridean Surf Holidays | Tel. 01851/70 58 62)*. Die Insel *Tiree* – mit Fähre oder Flieger *(Loganair)* täglich erreichbar – hat die besten Windsurfbedingungen Schottlands.

SPORT & AKTIVITÄTEN

◼ TAUCHEN ◼

In Tauchzentren kann man sich die nötige Ausrüstung leihen und Kurse belegen. Spektakulär für erfahrene Taucher sind die von Stromness aus erreichbaren, deutschen Schiffswracks aus dem Ersten Weltkrieg, die bis fast 50 m tief im Scapa Flow auf Grund liegen *(Diving Cellar Scapa Flow | Tel. 01856/85 03 95 | www. divescapaflow.co.uk)*.

◼ WANDERN ◼

Ideal, weil gut beschildert und ohne Zelt machbar, ist der wunderschöne ★ *West Highland Way* (152 km) von Glasgow/Milngavie zum Ben Nevis/Fort William *(www.west-high land-way.co.uk)*. Der *Southern Upland Way* verbindet im Süden über 350 km Portpatrick an der Westküste mit St. Bathans an der Ostküste *(www.southernupland.com)*. Der Auf-

Für Wanderer gibt's überall tolle Strecken mit spektakulären Ausblicken

Gute Sicht unter Wasser haben auch Anfänger rund um die Äußeren Hebriden wie etwa vor North Uist oder bei den Summer Isles vor Ullapool. St. Abb's Head bei Eyemouth an der Ostküste ist eine *Marine Reserve*, weshalb es unter Wasser viel Leben gibt. Auskunft über örtliche Tourist Offices: *www.tauchbasen. net/tauchen-schottland-68.html*

und Abstieg auf den Ben Nevis von Fort William aus dauert einen Tag. Ein wunderbares Wanderterrain ist die Hebrideninsel Skye mit leichten Moorwegen, anstrengenden Hügelwanderungen und schwierigen Kletterpassagen in den atemberaubenden Cuillins-Bergen: *Wandern Schottland | Tel. 07661/999 18 (Deutschland) | www.wandern-schottland.de*

AUF DEM ABENTEUERSPIELPLATZ

Im Land der Burgen, Geister und wilden Tiere lässt sich jeden Tag spielend Spannendes erleben

> Schottland ist ein aufregendes Reiseland für Kinder. Überall locken Spaziergänge durch Wald und Moor oder Sport- und Erlebnisparks. Und die Pommes aus nicht-industrieller Produktion schmecken oft besser als daheim. In Pubs sind Kinder zwar nicht so gern gesehen, in Restaurants und Cafés dafür schon. Der Eintritt in Museen und andere Sehenswürdigkeiten kostet für Kinder die Hälfte, preiswert übernachten lässt sich's in den Familienzimmern von Jugendherbergen.

CREAM O'GALLOWAY   [113 F5]

Auf der Rainton-Farm in der Galloway-Region hat man sich umgestellt: Die Milchproduktion erfolgt biologisch, und daraus wird leckeres Eis hergestellt. Mit einer Riesenportion in der Hand kann man Schafe und Rinder beobachten, sich auf dem tollen Abenteuerspielplatz vergnügen und von einem hohen Turm bis zur Isle of Man herüberschauen. *Bei Rainton, südlich von Gatehouse of Fleet, zwischen Dumfries und Stranraer | März–Okt. 10–18 Uhr | www.creamogalloway.co.uk*

GLASGOW SCIENCE CENTRE   [114 A2]

Imax-Kino, Planetarium und interaktive Ausstellung zur Glasgower Stadt- und Wissenschaftsgeschichte. Und ein ☼ 127 m hoher Drehturm als Aussichtspunkt. *Pacific Drive | Mo–Fr 9.30–18, Sa 9.45–17, So 9.45–15 Uhr | www.glasgowsciencecentre.org | Erw. £ 7, Kinder £ 6,50*

GRUSELTOUREN   [119 D6]

Gänsehaut gibt es bei den geführten abendlichen Rundgängen durch die Gassen von Edinburgh oder bei einer Tagestour zu Hexenplätzen und anderen Schauerstätten in unterirdischen Gewölben *(South Bridge Vaults). High St./Niddry St. | Tel. 0131/557 47 00 | www.auldreekie tours.co.uk | Erw. ab £ 6, Kinder ab £ 4*

HANDA ISLAND   [121 E2]

Auf zur Safari im Atlantik! Nach 30 Minuten Bootsfahrt verbringt man drei Stunden Auge in Auge mit Papageitauchern und Robben. *April–Sept. tgl. 9.30–17 Uhr (beste Zeit: Mai–Aug.) | Tarbet*

Insider Tipp

> MIT KINDERN REISEN

Pier | 6 km nördlich von Scourie | *ww.swt.org.uk* | Erw. £ 8, Kinder £ 4

ORIGINAL LOCH NESS MONSTER EXHIBITION CENTRE [121 F6]
Ein Monstermodell und alles über Nessies Leben im Loch Ness direkt nebenan. *Drumnadrochit | tgl. April/Mai/Okt. 9.30–17 Uhr, Juni/Sept. 9–18 Uhr, Juli/Aug. 9–20 Uhr | www.lochness.com |* Erw. £ 5,95, Kinder £ 3,50

DEEP SEA WORLD [114 C1]
Direkt bei der wunderbaren Eisenbahnbrücke *Forth Rail Bridge* bei Edinburgh kann man Robben, Haie und viele andere Meeresbewohner vom längsten Unterwassertunnel der Welt aus beobachten. Das Becken mit 4,5 Mio. Liter Wasser ist in einem alten Steinbruch angelegt. Vom Café aus kann man Taucher bei der Haifütterung beobachten. *North Queensferry, 15 Zugminuten mit Fife Circle Line von Edinburgh | tgl. 10–17, So 10–16 Uhr | ww.deepseaworld. com |* Erw. £ 10, Kinder £ 7

MUSEUM OF CHILDHOOD [119 D6]
Das Museum ist vollgestopft mit Spielzeug aus aller Welt. Kinder wollen hier gar nicht mehr raus, so inspirierend sind die Puppen, Zinnsoldaten, alte Bücher, Modellzüge und vieles andere mehr. Und die Eltern fühlen sich in ihre Kindheit zurückversetzt. *42 High Street, Edinburgh | Mo–Sa 10–17 Uhr, Juli/Aug. auch So 12–17 Uhr | Eintritt frei*

WINGS OVER MULL [116 B–C 4–5]
Die Hebrideninsel Mull ist Heimat zahlreicher Greifvögeln, darunter Adler und Eulen. Im *Conservation Centre* des Ehepaars Richard und Sue Dewar leben 25 Greifvogelarten. Zur Arbeit ihres Zentrums gehören Umweltschutz und Unterricht in Vogelkunde: Zu erleben gibt es Flugschauen, aber auch geführte Touren im Südosten der Insel. *Auchnacroish House, Torosay, Craignure, Insel Mull | tgl. von Ostern bis Ende Okt. 10.30–17 Uhr, Flugschauzeiten um 12, 14 und 16 Uhr | www.wingsovermull. com |* Erw. £ 4,50, Kinder £ 1,50

> VON ANREISE BIS ZOLL

Urlaub von Anfang bis Ende: die wichtigsten Adressen und
Informationen für Ihre Schottlandreise

ANREISE

FLUGZEUG

Flüge gehen von Deutschland, der Schweiz und Österreichs mehrmals täglich nach Glasgow und Edinburgh. Von Deutschland gibt es folgende Verbindungen nach Edinburgh: Germanwings *(www.german wings.de)* von Köln/Bonn, Lufthansa *(www.lufthansa.com)* von Frankfurt/M., Ryanair *(www.ryanair.com)* von Frankfurt/Hahn, Weeze und Lübeck nach Glasgow. Von Wien fliegen Lufthansa und British Airways *(www.ba.com)*, von Zürich Lufthansa, Swiss *(www.swiss.com)* und British Airways nach Glasgow und Edinburgh.

Edinburgh Airport liegt 11 km westlich vom Zentrum der Stadt. Es gibt Busse zum Flughafen; mit dem Taxi muss man rund £ 15 pro Fahrt in die Innenstadt rechnen. Glasgow Prestwick Airport liegt 13 km südwestlich vom Stadtzentrum und kann mit Zug oder Bus in knapp einer Stunde (£ 3–10) erreicht werden. Für Anschlussflüge innerhalb Schottlands hat British Airways ein dichtes Netz geschlossen *(www.british airways.com)*.

SCHIFF

P&O Ferries fährt von Zeebrugge und Rotterdam nach Hull (14 Std.), von wo aus es noch etwa 380 km bis zur schottischen Grenze sind *(www.poferries.de)*. *DFDS* bewältigt die Strecke von Amsterdam nach Newcastle in 23 Stunden. Von Newcastle sind es rund 180 km an der Küste entlang nach Edinburgh *(www.dfdsseaways.de)*. *Superfast Ferries* fahren in 18 Stunden von Zeebrugge nach Rosyth bei Edinburgh *(www.superfast.com)*.

AUSKUNFT

VISITBRITAIN
Hackescher Markt 1, 10178 Berlin | Tel. 01801/46 86 42 | Fax 030/31 57 19 10 | www.visitbritain.com/de

BRITAIN VISITOR CENTRE
c/o British Council | Siebensterngasse 21, 1070 Wien | Tel. 0800/15 01 70 | Fax 01/533 26 16 85 | a-info@visitbritain.org

VISITBRITAIN
Badenerstrasse 21, 8004 Zürich | Tel. 0844/00 70 07, Fax 043/322 20 01 | www.visitbritain.com/ch

VISITSCOTLAND
Fairways Business Park, Deer Park Avenue, Livingston EH54 8AF, Scotland | Tel. 01506/83 21 21 | www.visitscotland.com

AUTO

Schottland hat ein gut ausgebautes Straßennetz. In ganz Großbritannien gilt Linksverkehr! Am Kreisverkehr *(roundabout)* hat derjenige Vorfahrt, der sich im Kreis befindet. In Städten und geschlossenen Ortschaften gilt eine Geschwindigkeitsbegrenzung von 30 oder 40 Meilen (48 bzw. 65 km/h), auf Landstraßen sind 60 Mei-

> WAS KOSTET WIE VIEL?

> WHISKY	**AB 25 EURO**	für eine Flasche
> KAFFEE	**3 EURO**	für eine Tasse
> TAXI	**7 EURO**	für die Kurzstrecke (3 km)
> FISH & CHIPS	**5 EURO**	an der Imbissbude
> BENZIN	**1,40 EURO**	für einen Liter Normal
> SUPPE	**5 EURO**	für einen Teller im Pub

len (96 km/h) und auf Autobahnen 70 Meilen pro Stunde (110 km/h) erlaubt. Tankstellen können auf den Inseln und in den Highlands sonntags geschlossen haben.

ADAC-Mitglieder können den Pannendienst der *Automobile Association* gebührenfrei anrufen: *Tel. 0800/88 77 66*.

Mietwagen kosten 45–75 Euro pro Tag (Vorlage einer Kreditkarte, Mindestalter 21 Jahre). An den Flughäfen von Glasgow und Edinburgh stehen mehrere internationale Mietwagenfirmen zur Auswahl.

BAHN

Großbritanniens Eisenbahnnetz umfasst 2000 Bahnhöfe, in denen täglich mehr als 18 000 Zugabfahrten auf dem Fahrplan stehen. Das Netz ist modern und effizient. Das *Brit-Rail*-Angebot an Bahnpässen und *Point-to-Point*-Fahrscheinen ist speziell auf die Bedürfnisse von Großbritannien-Besuchern aus dem Ausland zugeschnitten. Tickets können online bei *www. britaindirect.com*, *www.britrail. com*, bei der DB *(www.bahn.de)* oder in Reisebüros erworben werden.

WÄHRUNGSRECHNER

€	£	£	€
1	0,72	1	1,39
2	1,44	2	2,78
3	2,16	3	4,17
4	2,88	4	5,56
5	3,60	5	6,95
6	4,32	6	8,34
7	5,04	7	9,73
8	5,76	8	11,12
9	6,48	9	12,51

BANKEN & KREDITKARTEN

Öffnungszeiten der Banken: *Mo–Fr 9.30–16.45, Do häufig bis 17.30 Uhr.* In ländlichen Bereichen schließen die Banken oft schon gegen 12.30 Uhr. Es gibt jedoch ein gutes Netz von *cash points* (Geldautomaten), die auch die Eurocard akzeptieren. Alle Banken schließen zu den *Bank Holidays:* 2. Jan., 1. und letzter Mo im Mai, 1. oder letzter Mo im Aug. Kreditkarten werden vielerorts akzeptiert, nur B & B-Unterkünfte und kleinere Geschäfte nehmen z.T. keine Kreditkarten und Schecks an.

BUS

Die Busgesellschaften *National Express* und *Scottish Citylink* haben ein dichtes Streckennetz. Wer häufiger Bus fährt, sollte sich nach entsprechenden Sondertickets erkundigen: *Scottish Citylink Coaches Ltd. | Tel. 08705/50 50 50 | www.citylink.co.uk*

CAMPING

Camper sollten nach einem Schild mit dem Distelsymbol Ausschau halten: Die *Thistle Commendation* wird nur an Campingplätze vergeben, die den höchsten Ansprüchen genügen. Wild campen ist in Schottland nicht verboten, man muss aber den Grundeigentümer um Erlaubnis fragen. Schottland hat rund 500 Campingplätze; es gibt ganz einfach Plätze sowie gut ausgestattete Holidayparks: *www.schott land.de/camping/unterkunft*

DIPLOMATISCHE VERTRETUNGEN

GENERALKONSULAT DER BUNDESREPUBLIK DEUTSCHLAND

16 Eglinton Crescent, Edinburgh EH12 5DG | Tel. 0131/337 23 23 | Fax 346 15 78 | www.edinburgh.diplo.de

ÖSTERREICHISCHES KONSULAT

Alderwood, 49 Craigrook Road | Edinburgh EH4 3PH | Tel. 0131/332 33 44 | Fax 332 17 77

SCHWEIZER GENERALKONSULAT

255 C Collinton Road, Edinburgh EH 14 1DW | Tel. 0131/441 40 44

PRAKTISCHE HINWEISE

EINREISE

Für die Einreise in das Vereinigte Königreich reicht ein gültiger Personalausweis oder Reisepass.

FÄHREN

Die *Caledonian MacBrayne* befördert Passagiere und Fahrzeuge zu den Inneren und Äußeren Hebriden an der Westküste. Für die Sommermonate sind Vorbuchungen empfehlenswert *(Caledonian MacBrayne | Gourock, The Ferry Terminal | Tel. 08705/65 00 00 | Fax 01475/63 52 35 | www.calmac.co.uk). P&O Scottish Ferries* verbindet nach Shetland und Orkney. In den Sommermonaten verkehren lokale Fähren außerdem zwischen Shetland, Mainland und den übrigen Inseln *(www.poferries.com)*.

GESUNDHEIT

In den Krankenhäusern des *National Health Service (NHS)* und bei Arztbesuchen wird die Europäische Krankenversicherungskarte EHIC (European Health Insurance Card), die Sie von Ihrer Krankenkasse anstelle des früher gültigen Auslandskrankenscheins (E 111) bekommen, akzeptiert.

INTERNET

Wer sich einen Überblick übers Land verschaffen will, surft auf *www.about scotland.com* oder *www.discovertheborders.co.uk*. Unter *www.visithighlands.com* präsentieren sich die Highlands, *www.tartans.com* bietet Schottland-Fans Informationen zu den Clans und deren Geschichte. Die reiche Küche Schottlands wird bei *www.taste-of-scotland.com* vorgestellt. Der National Trust, der die meisten historischen Stätten verwaltet, ist unter *www.nts.org.uk* zu finden; der Link zur Königin der Schotten heißt *www.marie-stuart.co.uk*. Freunde des Single Malt Whiskys klicken *www. peatfreak.com*

Preiswerte Ausflüge und Touren bietet *www.haggisadventures.com*, günstige Herbergen findet man unter *hostel-scotland.co.uk*. Wer in Glasgow ausgehen will, informiert sich bei *www.itchyglasgow.co.uk,* für Edinburgh heißt die entsprechende Site *www.itchyedinburgh.co.uk.*

JUGENDHERBERGEN

Viele Jugendherbergen liegen in den Highlands, besonders in Gebieten, in denen man sportlich aktiv werden kann. Eine vorherige Aufnahme in das Jugendherbergswerk ist nötig. Auskunft: *SYHA National Office | 7 Glebe Crescent, Stirling FK8 2JA | Tel. 01786/89 14 00 | Fax 89 13 33 | www.syha.org.uk*

KLIMA & REISEZEIT

Die Sommer sind normalerweise recht mild. Die Durchschnittstemperatur beträgt ca. 21 Grad. Selten steigt das Thermometer über 30, selten fällt es unter 14 Grad. Frische 8 bis 10 Grad herrschen im Frühling und im Herbst. Die Winter sind kühl und regenreich, Minusgrade sind jedoch eher selten (außer im schottischen Hochland). Warme und regenfeste Kleidung ist daher unbedingt erforderlich.

MASSE & GEWICHTE

Offiziell misst man in Großbritannien wie auch bei uns im metrischen und im dezimalen System, aber die so genannten *Imperial Standards* werden nach wie vor im schottischen Alltag benutzt:

1 Inch = 2,54 cm
1 Foot = 30,48 cm
1 Yard = 91,44 cm
1 Meile = 1,609 km
1 Ounce = 28,35 g
1 Pound = 453,59 g
1 Pint = 0,5683 l
1 Gallon = 4,5459 l

NOTRUF

Polizei, Feuerwehr, Krankenwagen: *Tel. 999*

ÖFFNUNGSZEITEN

Die meisten Läden haben Mo–Sa von 9–17.30 Uhr geöffnet. Größere Städte bieten oft einen langen Donnerstag an und verkaufen manchmal auch sonntags. Pubs haben meist tgl. bis 23 Uhr geöffnet, Postämter Mo–Fr 9–17.30 Uhr, größere auch Sa 9–12.30 Uhr.

PREISE & WÄHRUNG

Währungseinheit in Großbritannien ist das Pfund Sterling (£), unterteilt in 100 Pence (p). Die Schotten haben eine eigene Währung, das Schottische Pfund, das dem englischen 1:1 entspricht. Im Umlauf sind Scheine zu 50, 20, 10 und 5 £ sowie eine 1-Pfund-Note, die es in England nicht gibt.

STROM

220 Volt Wechselstrom. Wegen der dreipoligen Stecker sollten Sie einen Adapter mitbringen.

TELEFON & HANDY

Vorwahl für Großbritannien: *0044*; nach Deutschland: *0049*; nach Österreich: *0043*; in die Schweiz: *0041*. Telefonkarten (Werte: £ 2–20) sind bei der Post und in Geschäften mit dem BT-Symbol *(British Telecom)* erhältlich. Viele Sprechzellen können auch mit den gängigen Kreditkarten benutzt werden.

Handy: Beim Roaming spart, wer das günstigste Netz wählt. Mit einer schottischen Prepaid-Karte entfallen die Gebühren für eingehende Anrufe. Prepaid-Karten-Angebote wie die

WETTER IN SCHOTTLAND

Jan.	Feb.	März	April	Mai	Juni	Juli	Aug.	Sept.	Okt.	Nov.	Dez.
6	6	8	11	14	17	18	18	16	12	9	7
Tagestemperaturen in °C											
1	1	2	4	6	9	11	11	9	7	4	2
Nachttemperaturen in °C											
2	3	3	5	6	6	5	4	4	3	2	2
Sonnenschein Std./Tag											
13	11	11	11	11	12	13	13	12	13	12	13
Niederschlag Tage/Monat											

von GlobalSim *(www.globalsim.net)* oder Globilo *(www.globilo.de)* sind zwar teurer, ersparen aber ebenfalls alle Roaming-Gebühren. Vorteil: Sie bekommen schon zu Hause Ihre neue Nummer. Immer günstig sind SMS. Hohe Kosten verursacht die Mailbox: noch vor der Abreise abschalten, das ist nur im Heimatland möglich!

Auskunft national: *Tel. 11 85 00*; international: *Tel. 11 85 05*

TRINKGELD

Trinkgeld ist in der Regel in der Rechnung eingeschlossen. Hotelpersonal freut sich über £ 1–2. Im Lokal ist ebenfalls ein Trinkgeld *included*, wenn nicht in der Rechnung anders aufgeführt. Dann rundet man um 10 Prozent auf, gleiches gilt beim Taxi.

UNTERKUNFT

Wenige Urlaubsländer bieten eine so breite Palette an Unterkünften wie Schottland: vom Schlosshotel bis zum Countryhome. Wer zum Beispiel ein Schlossapartment oder ein altes, historisches Haus mieten möchte, wendet sich an den National Trust: *Tel. 0131/243 93 31 | www.nts.org.uk*. Ausgesuchte B & Bs findet man unter *www.scotlandsbestbandbs.co.uk*. Bei allgemeinen Unterkünften und Hotels ist die Seite *www.visitscotland.com* empfehlenswert.

Infos zu Ferien auf dem Bauernhof gibt es unter *www.scotfarmhols.co.uk*, Ferientipps für Menschen mit Behinderungen bietet *Holiday Care*, das über eine Datenbank mit über 1000 geeigneten Hotels, Unterkünften für Selbstversorger, Pensionen und Bauernhöfen verfügt: *Tel. 845/124 99 71 | www.holidaycare.org.uk*

WLAN

Die Verbreitung wächst täglich, auch in Schottland. Hotels verfügen über Ethernetkabel auf den Zimmern oder freies WLAN für Gäste, meist in der Lobby. Viele Cafés haben Computer mit Münzbetrieb für Kunden. Auch in den entlegeneren Regionen wird WLAN langsam aber stetig flächendeckend angeboten, eine kurze Frage im Pub oder Hotel genügt bereits für die zielgerichtete Auskunft über kabellose Surfmöglichkeiten.

ZEIT

In Großbritannien gilt die GMT, die *Greenwich Mean Time*. Das bedeutet: Von der mitteleuropäischen Zeit wird ganzjährig eine Stunde abgerechnet.

ZEITUNGEN

Schotten sind patriotisch und lieben ihre eigenen Zeitungen. In Edinburgh liest man „The Scotsman", in Glasgow „The Glasgow Herald". In Schottland sind selbstverständlich auch die englischen Tageszeitungen erhältlich – auch deutsche, die sind allerdings meist erst mit 1–2 Tagen Verspätung zu haben.

ZOLL

Für Waren, die Sie für den Eigenverbrauch in anderen Ländern der EU gekauft haben, wird in Großbritannien keinen Zoll fällig. Das gleiche gilt für die Ausfuhr. Schweizer können zollfrei nur bis zu folgenden Obergrenzen einkaufen: 200 Zigaretten oder 250 g Tabak, 1 l Spirituosen, oder 2 l Likörwein oder Wein, 50 g Parfum oder 0,25 g Eau de Toilette. Reisende unter 17 Jahren dürfen keinen Tabak oder Alkohol ein- oder ausführen.

> DO YOU SPEAK ENGLISH?

„Sprichst Du Englisch?" Dieser Sprachführer hilft Ihnen, die wichtigsten Wörter und Sätze auf Englisch zu sagen

Aussprache

Zur Erleichterung der Aussprache sind alle englischen Wörter mit einer einfachen Aussprache (in eckigen Klammern) versehen. Folgende Zeichen sind Sonderzeichen:

ə   nur angedeutetes „e" wie in bitte

θ   [s] gesprochen mit der Zungenspitze zwischen den Zähnen

■ AUF EINEN BLICK

Ja./Nein.	Yes. [jäs]/No. [nəu]
Vielleicht.	Perhaps. [pə'häps]/Maybee. ['mäibih]
Bitte.	Please. [plihs]
Danke.	Thank you. ['θänkju]
Vielen Dank!	Thank you very much. ['θänkju 'wäri 'matsch]
Gern geschehen.	You're welcome. [joh 'wälkəm]
Entschuldigung!	I'm sorry! [aim 'sori]
Wie bitte?	Pardon? ['pahdn]
Ich verstehe Sie/Dich nicht.	I don't understand. [ai dəunt andə'ständ]
Ich spreche nur wenig ...	I only speak a bit of ... [ai 'əunli spihk ə'bit əw ...]
Können Sie mir bitte helfen?	Can you help me, please? ['kən ju 'hälp mi plihs]
Ich möchte ...	I'd like ... [aid'laik]
Haben Sie ...?	Have you got ...? ['həw ju got]
Wie viel kostet es?	How much is it? ['hau'matsch is it]
Wie viel Uhr ist es?	What time is it? [wot 'taim is it]
offen/geschlossen	open ['əupn]/closed [kləusd]

■ KENNENLERNEN

Guten Morgen!	Good morning! [gud 'mohning]
Guten Tag!	Good afternoon! [gud ahftə'nuhn]
Guten Abend!	Good evening! [gud 'ihwning]
Mein Name ist ...	My name is ... [mai näims ...]
Wie ist Ihr/Dein Name?	What's your name? [wots joh 'näim]
Wie geht es Ihnen/Dir?	How are you? [hau 'ah ju]
Danke. Und Ihnen/Dir?	Fine thanks. And you? ['fain θänks, ənd 'ju]
Auf Wiedersehen!	Goodbye!/Bye-bye! [gud'bai/bai'bai]
Tschüss!	See you!/Bye! [sih ju/bai]
Bis morgen!	See you tomorrow! [sih ju tə'mərəu]

SPRACHFÜHRER
ENGLISCH

AUSKUNFT

links/rechts	left [läft]/right [rait]
geradeaus	straight on [sträit 'on]
nah/weit	near [niə]/far [fah]
Bitte, wo ist …?	Excuse me, where's …, please? [iks'kjuhs 'mih 'weəs … plihs]
Bahnhof	station ['stäischn]
Bushaltestelle	bus stop [bas stəp]
Flughafen	airport ['eəpoht]
Wie weit ist das?	How far is it? ['hau 'fahr_is_it]
Ich möchte … mieten.	I'd like to hire … [aid'laik tə 'haiə]
… ein Auto …	… a car. [ə 'kah]
… ein Fahrrad …	…a bike. [ə 'baik]

PANNE

Ich habe eine Panne.	My car's broken down. [mai 'kahs 'brəukn 'daun]
Die Batterie ist leer.	The battery is flat. [θə 'bätəri is flät]
Würden Sie mir bitte einen Abschleppwagen schicken?	Would you send a breakdown truck, please? ['wud ju sänd ə bräikdaun trak plihs]
Gibt es hier in der Nähe eine Werkstatt?	Is there a garage nearby? ['is θeə_ə 'gärahdsch 'niərbai]

TANKSTELLE

Wo ist die nächste Tankstelle?	Where's the nearest petrol station? ['weəs θə 'niərist 'pätrəlstäischn]
Ich möchte … Liter …	… litres of … ['lihtəs əw]
… Normalbenzin.	… three-star, ['θrihstah]
… Super.	… four-star, ['fohstah]
… Diesel.	… diesel, ['dihsl]
… bleifrei/verbleit.	… unleaded/leaded, please. [an'lädid/'lädid plihs]
Voll tanken, bitte.	Full, please. ['ful plihs]

UNFALL

Hilfe!	Help! [hälp]
Achtung!	Attention! [ə'tänschn]
Vorsicht!	Look out! ['luk 'aut]

Rufen Sie bitte …
Please call … ['plihs 'kohl]

… einen Krankenwagen.
… an ambulance. [ən 'ämbjuləns]

… die Polizei.
… the police. [θə pə'lihs]

Geben Sie mir bitte Ihren
Please give me your name and address!

Namen und Ihre Anschrift.
[plihs giw mi joh 'näim ənd ə'dräs]

ESSEN/UNTERHALTUNG

Wo gibt es hier …
Is there … here? ['is θeər … 'hiə]

… ein gutes Restaurant?
… a good restaurant …[ə 'gud 'rästərohng]

… ein typisches Restaurant?
… a restaurant with local specialities …
[ə 'rästərohng wiθ 'ləukl ‚späschi'älitis]

Was können Sie mir
What can you recommend?

empfehlen?
['wot kən_ju räkə'mänd]

Gibt es hier eine
Is there a nice pub here?

gemütliche Kneipe?
['is θeər_ə nais 'pab hiə]

Reservieren Sie uns bitte
Would you reserve us a table for four

für heute Abend einen
for this evening, please? ['wud ju ri'söhw

Tisch für vier Personen.
əs ə 'täibl fə foh fə θis 'ihwning plihs]

Die Speisekarte, bitte.
Could I have the menu, please.
['kud ai häw θə 'mänjuh plihs]

Ich nehme …
I´ll have … [ail häw]

Bitte ein Glas …
A glass of …, please [ə 'glahs_əw … plihs]

Auf Ihr Wohl!
Cheers! [tschiəs]

Bezahlen, bitte.
Could I have the bill, please?
['kud ai häw θə 'bil plihs]

Wo sind bitte die Toiletten?
Where are the restrooms, please?
['weərə θə 'restruhms plihs]

EINKAUFEN

Wo finde ich …?
Where can I find …?
['weə 'kən_ai 'faind …]

Apotheke
chemist's [kämists]

Bäckerei
baker's [bäikəs]

Kaufhaus
department store [di'pahtmənt stoh]

Lebensmittelgeschäft
food store ['fuhd stoh]

ÜBERNACHTUNG

Können Sie mir bitte …
Can you recommend …, please?

empfehlen?
[kən ju ‚räkə'mänd … plihs]

… ein Hotel …
… a hotel … [ə həu'täl]

… eine Pension …
… a guest-house … [ə 'gästhaus]

Ich habe bei Ihnen ein
I've reserved a room.

Zimmer reserviert.
[aiw ri'söhwd_ə 'ruhm]

Haben Sie noch …
Have you got … [həw ju got]

SPRACHFÜHRER

… ein Einzelzimmer? … a single room? [ə 'singl ruhm]
… ein Doppelzimmer? … a double room? [ə 'dabl ruhm]
… mit Dusche/Bad? … with a shower/bath?
[wiθ ə 'schauə/'bahθ]

… für eine Nacht? … for one night? [fə wan 'nait]
… für eine Woche? … for a week? [fə ə 'wihk]
Kann ich das Zimmer Can I see the room?
ansehen? [kən ai 'sih θə 'ruhm]
Was kostet das Zimmer How much is the room with …
mit … ['hau 'matsch is θə ruhm wiθ]
… Frühstück? … breakfast? ['bräkfəst]
… Halbpension? … half board? ['hahf'bohd]
… Vollpension? … full board? ['ful'bohd]

PRAKTISCHE INFORMATIONEN

Können Sie mir einen Can you recommend a doctor?
Arzt empfehlen? [kən ju ‚räkə'mänd ə 'doktə]
Ich habe hier Schmerzen. I've got pain here. [aiw got päin 'hiə]
Ich habe Durchfall. I've got diarrhoea. [aiw got daiə'riə]
Eine Briefmarke, bitte. One stamp, please. [wan stämp 'plihs]
Wo ist bitte … Where's … , please? ['weəs … plihs]
… die nächste Bank? … the nearest bank … [θə 'niərist 'bänk]
… der nächste Geldautomat? … the nearest ATM … [θə 'niərist 'äitiem]

ZAHLEN

0	zero, nought [siərəu, noht]	19	nineteen [‚nain'tihn]
1	one [wan]	20	twenty ['twänti]
2	two [tuh]	21	twenty-one [‚twänti'wan]
3	three [θrih]	30	thirty ['θöhti]
4	four [foh]	40	forty ['fohti]
5	five [faiw]	50	fifty ['fifti]
6	six [siks]	60	sixty ['siksti]
7	seven ['säwn]	70	seventy ['säwnti]
8	eight [äit]	80	eighty ['äiti]
9	nine [nain]	90	ninety ['nainti]
10	ten [tän]	100	a (one) hundred ['ə (wan) 'handrəd]
11	eleven [i'läwn]		
12	twelve [twälw]	1000	a (one) thousand ['ə (wan) 'θausənd]
13	thirteen [θöh'tihn]		
14	fourteen [‚foh'tihn]	10000	ten thousand ['tän 'θausənd]
15	fifteen [‚fif'tihn]		
16	sixteen [‚siks'tihn]	1/2	a half [ə 'hahf]
17	seventeen [‚säwn'tihn]	1/4	a (one) quarter ['ə (wan) 'kwohtə]
18	eighteen [‚äi'tihn]		

> Die Seiteneinteilung für den Reiseatlas finden Sie auf dem hinteren Umschlag dieses Reiseführers.

REISEATLAS
SCHOTTLAND

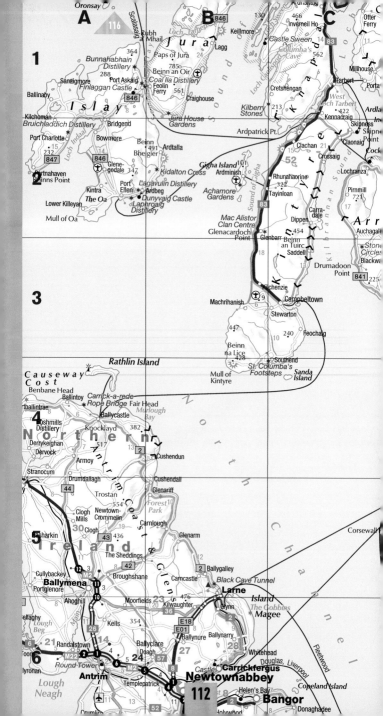

Oronsay

A 116 Scalasaig B 846 130 Inverneg Ho C Otter Ferry

Loch Tarbert Rubh a' Mhail Keillmore Castle Sween 14 83 11 Porta
Bunnahabhain Distillery 364 J u r a Lagg Columba's Cave 562 Millhouse
288 Port Askaig 24 785 Cretshengan 466 West Ardla
Sanaigmore Finlaggan Castle Beinn an Oir Coal Ila Distillery Tarbert Loch Tarbert 422 Kennacraig Skipness
Ballinaby 846 Feolin Ferry 561 Kilberry Stones 213 Clachan 21 Skipness Point
Bridgend I s l a y Craighouse Jura House Gardens Ardpatrick Pt. 15 Clachan Claonaig Cock
Kilchoman Bruichladdich Distillery 232 Ardtalla Crossaig 52
Port Charlotte 847 Bowmore 14 Beinn Bheigier 491 Gigha Island 10 Rhunahaorine 322 Lochranza Pirnmill 721
15 846 Glenegedale 347 Kidalton Cross Ardminish Tayinloan 83 Carradale 17 A r r
Portnahaven Finns Point Kintra Port Ellen Lagavulin Distillery Achamore Gardens Sound of Gigha 454 Dippen Auchagall
The Oa Dunyvaig Castle Ardbeg Beinn an Tuirc Saddell Stone Circles
Lower Killeyan Laphroaig Distillery Mac Alistor Clan Centre 18 Drumadoon Point 841 225 Blackw
Mull of Oa Glenacardoch Point Glenbarr Kilchenzie 841

3 Machrihanish 9 Campbeltown
447 Stewarton 240 Feochaig
Beinn na Lice 10 228
Rathlin Island Mull of Kintyre St. Columba's Footsteps Southend Sanda Island
C a u s e w a y C o s t Benbane Head
Carrick-a-rede Fair Head
rtballintrae Ballintoy Rope Bridge Murlough Bay
4 ushmills Distillery Ballycastle N o r t h
N o r t h e r n Knocklayd 382
Derrykeighan 517 2 Cushendun
Dervock Armoy Glenariff C h a
Stranocum A n t r i m Cushendall Corsewall
Drumdallagh Trostan Forest Park 10
44 554 Glenarm
sharkin Clogh Mills Newtown-Crommelin Carnlough
30 Clogh Glenarm
5 I r e l a n d 43 436 Glenarm
The Sheddings 2 Ballygalley
Cullybackey 42 Camcastle Black Cave Tunnel
12 3 Broughshane 2 Ballygalley Larne I s l a n d
Ballymena Moorfields Larne The Gobbins Magee
Portglenone 10 Kilwaughter 36 Glynn Whitehead
Ahoghill Moorfields 23 476 E18 Ballynarry 28 Douglas, Liverpool
ellaghy Lough Beg 26 Kells 354 E01 Ballynure Castle Carrickfergus Copeland Island
6 21 Randalstown 14 Ballyclare Doagh 57 27 8 Newtownabbey Helen's Bay
on 6 Round Tower 2 24 8 M2 112 52 Bangor
lyronan Antrim Templepatrick Johnwood Donaghadee
Lough Neagh 11 Crumlin

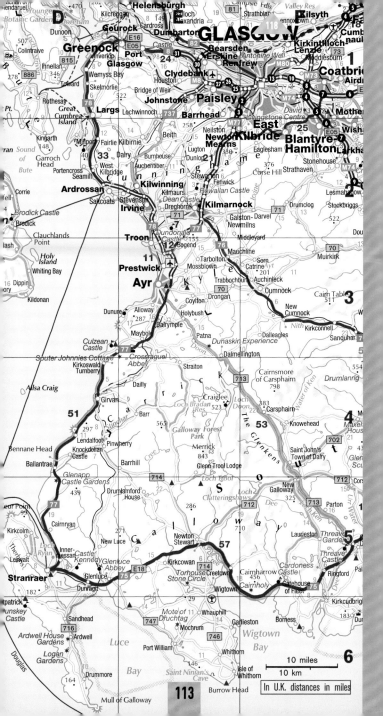

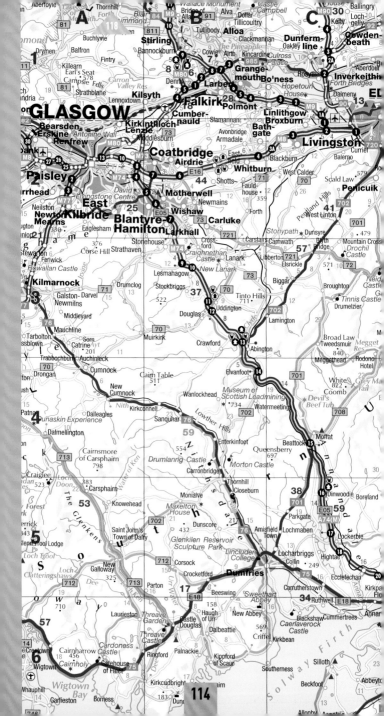

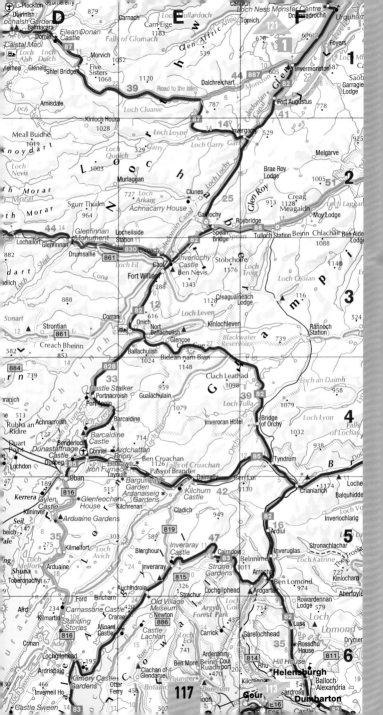

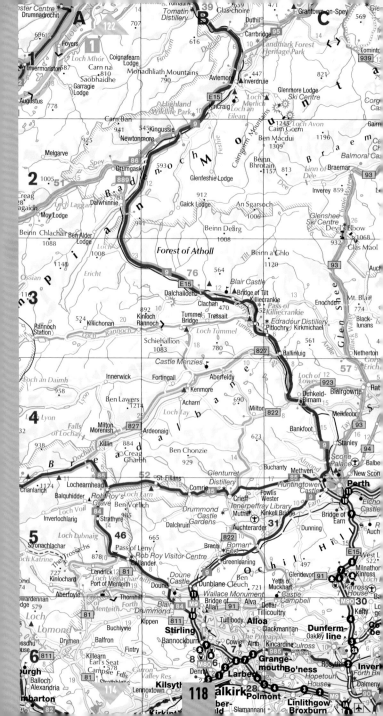

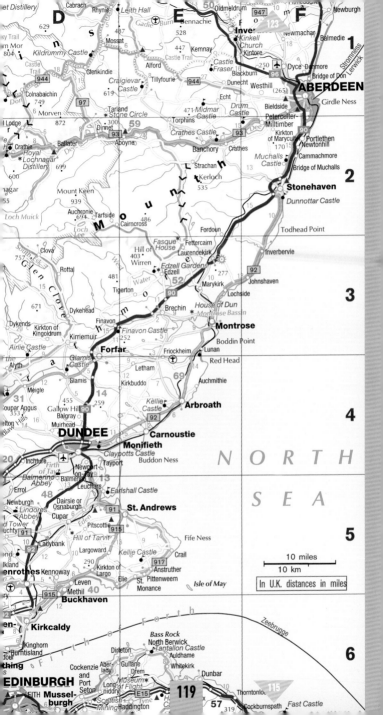

Distillery
Cabrach
Rhynie • Leith Hall
Oldmeldrum
947
10
Newburgh

629
Bennachie
Kinkell
Inver-
Newmachar
Balmedie

487
528
Church
Castle
Mossat
447 Kemnay
Kintore
18

Castle Trail
Fraser
250 ✈
Dyce Dinmore

Kirkcaldy
Gadie Burn
Castle Trail
96
Bridge of Don

xy Trail
Mor
804
Glenkindie
Alford
Tillyfourie
Dunecht
Westhill
(265)
ABERDEEN

Colnabaichin
749
944
Craigievar
Castle
471 Midmar
Castle
Echt
Bieldside
Girdle Ness

Castle
Trail
619
Castle
Peterculter-
Milltimber

944
Drum
Castle
Portlethen

Morven
Tarland •
Stone Circle
Torphins
Kirkton
of Marycuiter
170 15
Newtonhill

I Lodge
872
Dinnet
93
Crathes Castle
93
Cammachmore

Crathie
59
Aboyne
Banchory
Crathes
Muchalls
Castle
Bridge of Muchalls

Royal
Lochnagar
Distillery
699
Deeside
Strachan
13

600
Kerloch
535
Stonehaven

nagar
55
Mount Keen
939
Dunnottar Castle

Loch Muick
Auchronie
694 • Tarfside
Cairncross
486
Fordoun
Todhead Point

Clova
Fasque
House
Fettercairn
Laurencekirk
Inverbervie

757
Hill of
403
Wirren
Edzell Gardens
Edzell
92
Johnshaven

Rottal
481
277
Marykirk
Lochside

671
Tigerton
House of Dun
Montrose Bassin

Dykends
Dykehead
Brechin
Montrose

Kirkton of
Kingoldrum
Finavon
Finavon Castle
252
Boddin Point

Airlie Castle
Kirriemuir
Friockheim • Lunan
Red Head

the
Alyth
Glamis
Castle
Forfar
Letham
Auchmithie

Meigle
Glamis
Kirkbuddo
69

31
455
259
14
Kellie
Castle
Arbroath

oupar Angus
Gallow Hill
Balgray
90
92

alton
Muirhead
Carnoustie

DUNDEE
Monifieth

20
Inchture
Newport-
on-Tay
Claypotts Castle
Buddon Ness

Errol
Balmerino
Abbey
13
Tayport

Newburgh
Leuchars
Earlshall Castle

48
Dairsie or
Osnaburgh
91
St. Andrews

Lindores
Abbey
Cupar
Pitscottie
915
Fife Ness

uchty
91
Hill of Tarvit
Kellie Castle
917
Crail

Ladybank
Largoward
290
Anstruther

92
Kirkton of
Largo
St.
Pittenweem
Isle of May

enrothes
Kennoway
Leven
Elie
Monance

Methil
40
Buckhaven

915

en
Kirkcaldy

Kinghorn
Burntisland
North Berwick
Tantallon Castle
Zeebrugge

thing
Dirleton
Auldhame

Cockenzie
and
Port
Seton
Gullane
Drem
Whitekirk
Dunbar
115

EDINBURGH
Long-
niddry
Museum
of Flight
119

LEITH Mussel-
burgh
Scottish
Mining
Haddington
57
Thorntonloch
Cockburnspath
Fast Castle

NORTH SEA

10 miles
10 km
In U.K. distances in miles

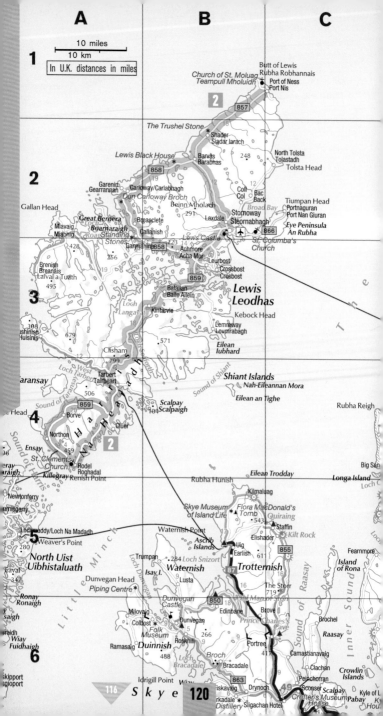

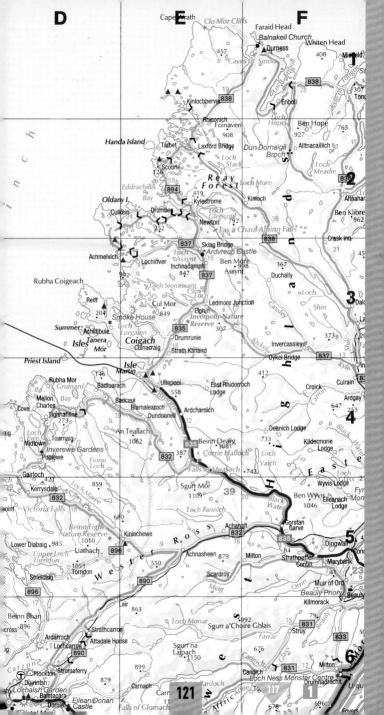

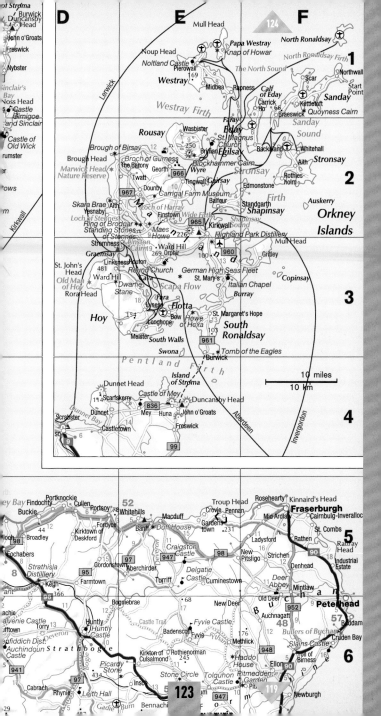

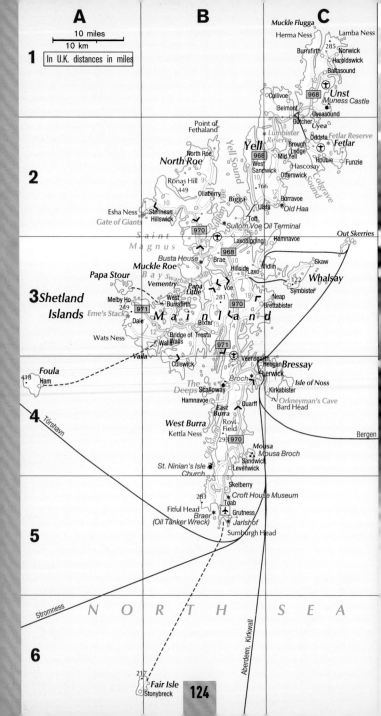

A

1
10 miles
10 km
In U.K. distances in miles

B

C

Muckle Flugga
Herma Ness
Lamba Ness
Burrafirth
285
Norwick
Haroldswick
Baltasound
Cullivoe
⊕ 968
Unst
Belmont
Muness Castle
Gutcher
Uyeasound
Uyea
Lumbister
Reserve
Oddsta
Fetlar Reserve

2
Point of
Fethaland
Yell
Brough
Lodge
⊕
Fetlar
North Roe
Mid Yell
Houbie
Funzie
North Roe
West
Sandwick
968
Hascosay
Ronas Hill
Otterswick
449
Ollaberry
Bigga
.166
12
Burravoe
Esha Ness
Stenness
Ulsta
Old Haa
Gate of Giants
Hillswick
Toft
Sullom Voe Oil Terminal
970
S a i n t
Laxobigging
Hamnavoe
Out Skerries
M a g n u s
⊕
968
Skaw
Busta House
Brae
Muckle Roe
Hillside
Laxo
122
Papa Stour
B a y
Swarback
MID
Midlin
Whalsay
Vementry
Voe
Symbister
Melby Ho
281
Papa
Little
West
Burrafirth
19
Neap
Brettabister

3
Shetland
Islands
249
Erne's Stack
Dale
971
M a i n l a n d
970
Wats Ness
12
Bixter
14
Bridge of Tresta
Wall Walls
971
Veensgarth
Heogan
⊕
Bressay
Cullswick
Lerwick
Foula
418
Ham
Broch
Kirkabister
Isle of Noss
Vaila
T h e
Scalloway
Orkneyman's Cave
Deeps
Hamnavoe
Bard Head
Quarff

4
Tórshavn
East
Burra
West Burra
Rovi
Field
Bergen
Kettla Ness
293
970
Mousa
Mousa Broch
Sandwick
St. Ninian's Isle
Levenwick
Church
Skelberry

5
Fitful Head
283
Toab
Croft House Museum
Braer
⊕
Grutness
(Oil Tanker Wreck)
Jarlshof
Sumburgh Head
Stromness
N O R T H
S E A
Aberdeen, Kirkwall

6
217
Fair Isle
Stonybreck

124

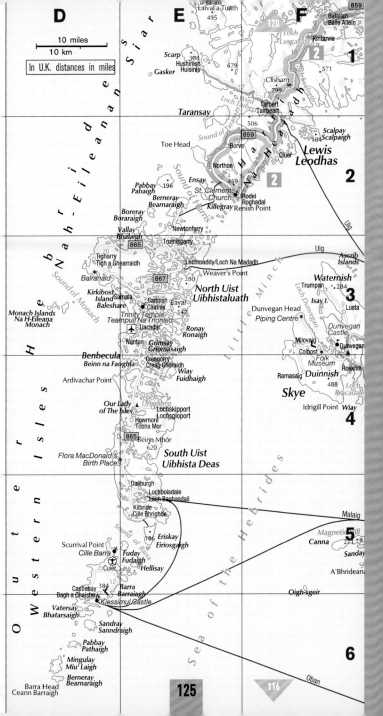

══⊙══⊙══	Autobahn mit Anschlussstellen / Motorway with junctions
══════	Autobahn in Bau / Motorway under construction
I	Mautstelle / Toll station
O	Raststätte mit Übernachtung / Roadside restaurant and hotel
⊛	Raststätte / Roadside restaurant
⊛	Tankstelle / Filling-station
═══⊙═══	Autobahnähnliche Schnellstraße mit Anschlussstelle / Dual carriage-way with motorway characteristics with junction
━━━━	Fernverkehrsstraße / Trunk road
━━━━	Durchgangsstraße / Thoroughfare
━━━━	Wichtige Hauptstraße / Important main road
━━━━	Hauptstraße / Main road
┄┄┄┄	Nebenstraße / Secondary road
───────	Eisenbahn / Railway
🚗	Autozug-Terminal / Car-loading terminal
━┅━┅━	Zahnradbahn / Mountain railway
⊢∘∘∘∘∘⊣	Kabinenschwebebahn / Aerial cableway
⋯⋯⋯⋯⋯	Eisenbahnfähre / Railway ferry
─🚘─	Autofähre / Car ferry
─ ─ ─ ─	Schifffahrtslinie / Shipping route
▓▓▓▓▓	Landschaftlich besonders schöne Strecke / Route with beautiful scenery
Alleenstr.	Touristenstraße / Tourist route
XI-V	Wintersperre / Closure in winter
××××××	Straße für Kfz gesperrt / Road closed to motor traffic
8%	Bedeutende Steigungen / Important gradients
🚫	Für Wohnwagen nicht empfehlenswert / Not recommended for caravans
🚫	Für Wohnwagen gesperrt / Closed for caravans

✳ *Wartenstein* ✳ *Umbalfälle*	Sehenswert: Kultur - Natur / Of interest: culture - nature
∿	Badestrand / Bathing beach
☀	Besonders schöner Ausblick / Important panoramic view
▓▓▓	Ausflüge & Touren / Excursions & tours
▢▢	Nationalpark, Naturpark / National park, nature park
▒▒	Sperrgebiet / Prohibited area
⛪	Kirche / Church
⛪	Kloster / Monastery
♟	Schloss, Burg / Palace, castle
☪	Moschee / Mosque
⸼ ⸼ ⸼ ⸼	Ruinen / Ruins
⚲	Leuchtturm / Lighthouse
↓	Turm / Tower
∩	Höhle / Cave
∴	Ausgrabungsstätte / Archaeological excavation
▲	Jugendherberge / Youth hostel
⬢	Allein stehendes Hotel / Isolated hotel
⌂	Berghütte / Refuge
▲	Campingplatz / Camping site
✈	Flughafen / Airport
✈	Regionalflughafen / Regional airport
⊕	Flugplatz / Airfield
▬▬▬	Staatsgrenze / National boundary
▬▬▬	Verwaltungsgrenze / Administrative boundary
⊖	Grenzkontrollstelle / Check-point
⊖	Grenzkontrollstelle mit Beschränkung / Check-point with restrictions
PARIS	Hauptstadt / Capital
<u>MARSEILLE</u>	Verwaltungssitz / Seat of the administration

REGISTER

Hier sind alle erwähnten Orte und Ausflugsziele sowie wichtige Namen und Stichworte verzeichnet. Halbfette Seitenzahlen verweisen auf den Haupteintrag, kursive auf ein Foto.

> *www.marcopolo.de/schottland*

IMPRESSUM

> SCHREIBEN SIE UNS!

Liebe Leserin, lieber Leser,

wir setzen alles daran, Ihnen möglichst aktuelle Informationen mit auf die Reise zu geben. Dennoch schleichen sich manchmal Fehler ein – trotz gründlicher Recherche unserer Autoren/innen. Sie haben sicherlich Verständnis, dass der Verlag dafür keine Haftung übernehmen kann.

Wir freuen uns aber, wenn Sie uns schreiben.

Senden Sie Ihre Post an die MARCO POLO Redaktion, MAIRDUMONT, Postfach 31 51, 73751 Ostfildern, info@marcopolo.de

IMPRESSUM

Titelbild: Dudelsackbläser (Getty Images/Stockbyte: Foxx)
Fotos: Appetite@Rowlands: Shemo Jasinski (92 u. l.); Moritz Baumstark (12 o.); Brazen Studios Ltd.: Margaret Steel/ Elect Agency (13 u.); City Screen Ltd. (14 o.); @Dance Base (93 o. l.); Das Fotoarchiv: Toma Babovic (2 l.), Dlouhy (4 r.), Horwath (88/89); Getty Images/Stockbyte: Foxx (1); HB Verlag: Modrow (U. l., 5, 28, 37, 44, 50/51, 57, 64, 79, 82, 87), Mosler (99); Holyrood Partnership: Ben Russell (14 M.); Huber: Fantuz (29), Giovanni Simeone (69), Schmid (24/25); iStockphoto.com: dwphotos (93 u. l.), gwmullis (92 M. l.), loooby (93 M. l.), Spanishalex (93 M. r.), TT (92 M. u. r.); H. Krinitz (U. M., U. r., 3 M., 4 l., 6/7, 9, 16/17, 22/23, 23, 26, 28/29, 30/31, 32, 35, 36, 38, 40/41, 42, 46, 48, 52, 55, 59, 60/61, 62, 66, 71, 72/73, 74, 76, 80/81, 83, 85, 90, 91, 94/95, 97, 98, 98/99, 100/111); Laif: Kirchgessner (11); Patti Lean and Alison Macleod/Zvonko Kracun/Dumfries & Galloway Council (12 u.); Mary Macdonald (92 o.l.), Mauritius: Mehlig (21), Nägele (2 r., 18), Thonig (3 l.), Vidler (22); M. Müller (131); Schapowalow: Nebia (3 r., 27); Adrian Skivington (92 M. o. r.); The Touch Agency Edinburgh: Peter Ian Campbell (15 u.); The Wickerman Festival Ltd.: Peter Foster (15 o.); Tiger Tiger Aberdeen (14 u.); 29 Glasgow: Fiona Murray (13 o.)

2. (11.), aktualisierte Auflage 2008
© MAIRDUMONT GmbH & Co. KG, Ostfildern
Verlegerin: Stephanie Mair-Huydts; Chefredaktion: Michaela Lienemann, Marion Zorn
Autoren: Inken Herzig, Martin Müller; Redaktion: Andrea Mertes
Programmbetreuung: Leonie Dlugosch, Nadia Al Kureischi; Bildredaktion: Gabriele Forst, Roger M. Gill
Szene/24h: wunder media, München
Kartografie Reiseatlas: © MAIRDUMONT, Ostfildern
Innengestaltung: Zum goldenen Hirschen, Hamburg; Titel/S. 1–3: Factor Product, München
Sprachführer: in Zusammenarbeit mit Ernst Klett Sprachen GmbH, Stuttgart, Redaktion PONS Wörterbücher

FÜR IHRE NÄCHSTE REISE
gibt es folgende MARCO POLO Titel:

DEUTSCHLAND
Allgäu
Amrum/Föhr
Bayerischer Wald
Berlin
Bodensee
Chiemgau/Berchtes-
  gadener Land
Dresden/Sächsische
  Schweiz
Düsseldorf
Eifel
Erzgebirge/Vogtland
Franken
Frankfurt
Hamburg
Harz
Heidelberg
Köln
Lausitz/Spreewald/
  Zittauer Gebirge
Leipzig
Lüneburger Heide/
  Wendland
Mark Brandenburg
Mecklenburgische
  Seenplatte
Mosel
München
Nordseeküste
  Schleswig-
  Holstein
Oberbayern
Ostfriesische Inseln
Ostfriesland/
  Nordseeküste/
  Niedersachsen/
  Helgoland
Ostseeküste
  Mecklenburg-
  Vorpommern
Ostseeküste
  Schleswig-
  Holstein
Pfalz
Potsdam
Rheingau/
  Wiesbaden
Rügen/Hiddensee/
  Stralsund
Ruhrgebiet
Schwäbische Alb
Schwarzwald
Stuttgart
Sylt
Thüringen
Usedom
Weimar

ÖSTERREICH | SCHWEIZ
Berner Oberland/
  Bern
Kärnten
Österreich
Salzburger Land
Schweiz
Tessin
Tirol
Wien
Zürich

FRANKREICH
Bretagne
Burgund
Côte d'Azur/
  Monaco
Elsass
Frankreich
Französische
  Atlantikküste
Korsika
Languedoc
  Roussillon
Loire-Tal
Normandie
Paris
Provence

ITALIEN | MALTA
Apulien
Capri
Dolomiten
Elba/Toskanischer
  Archipel
Emilia-Romagna
Florenz
Gardasee
Golf von Neapel
Ischia
Italien
Italienische Adria
Italien Nord
Italien Süd
Kalabrien
Ligurien/
  Cinque Terre
Mailand/Lombardei
Malta/Gozo
Oberital. Seen
Piemont/Turin
Rom
Sardinien
Sizilien/
  Liparische Inseln
Südtirol
Toskana
Umbrien
Venedig
Venetien/Friaul

SPANIEN | PORTUGAL
Algarve
Andalusien
Barcelona
Baskenland/Bilbao
Costa Blanca
Costa Brava
Costa del Sol/
  Granada
Fuerteventura
Gran Canaria
Ibiza/Formentera
Jakobsweg/Spanien
La Gomera/El Hierro
Lanzarote
La Palma
Lissabon
Madeira
Madrid
Mallorca
Menorca
Portugal
Spanien
Teneriffa

NORDEUROPA
Bornholm
Dänemark
Finnland
Island
Kopenhagen
Norwegen
Schweden
Südschweden/
  Stockholm

WESTEUROPA | BENELUX
Amsterdam
Brüssel
Dublin
England
Flandern
Irland
Kanalinseln
London
Luxemburg
Niederlande
Niederländische
  Küste
Schottland
Südengland

OSTEUROPA
Baltikum
Budapest
Estland
Kaliningrader Gebiet
Lettland
Litauen/Kurische
  Nehrung
Masurische Seen
Moskau
Plattensee
Polen
Polnische Ostsee-
  küste/Danzig
Prag
Riesengebirge
Rumänien
Russland
Slowakei
St. Petersburg
Tschechien
Ungarn
Warschau

SÜDOSTEUROPA
Bulgarien
Bulgarische
  Schwarz-
  meerküste
Kroatische Küste/
  Dalmatien
Kroatische Küste/
  Istrien/Kvarner
Montenegro
Slowenien

GRIECHENLAND | TÜRKEI
Athen
Chalkidiki
Griechenland
  Festland
Griechische
  Inseln/Agäis
Istanbul
Korfu
Kos
Kreta
Peloponnes
Rhodos
Samos
Santorin
Türkei
Türkische Südküste
Türkische Westküste
Zakinthos
Zypern

NORDAMERIKA
Alaska
Chicago und
  die Großen Seen
Florida
Hawaii
Kalifornien
Kanada
Kanada Ost
Kanada West
Las Vegas
Los Angeles
New York
San Francisco
USA
USA Neuengland/
  Long Island
USA Ost
USA Südstaaten/
  New Orleans
USA Südwest
USA West
Washington D.C.

MITTEL- UND SÜDAMERIKA
Argentinien
Brasilien
Chile
Costa Rica
Dominikanische
  Republik
Jamaika
Karibik/
  Große Antillen
Karibik/
  Kleine Antillen
Kuba
Mexiko
Peru/Bolivien
Venezuela
Yucatán

AFRIKA | VORDERER ORIENT
Ägypten
Djerba/
  Südtunesien
Dubai/Vereinigte
  Arabische Emirate
Israel
Jerusalem
Jordanien
Kapstadt/
  Wine Lands/
  Garden Route
Kenia
Marokko
Namibia
Qatar/Bahrain/
  Kuwait
Rotes Meer/Sinai
Südafrika
Tunesien

ASIEN
Bali/Lombok
Bangkok
China
Hongkong/
  Macau
Indien
Japan
Ko Samui/
  Ko Phangan
Malaysia
Nepal
Peking
Philippinen
Phuket
Rajasthan
Shanghai
Singapur
Sri Lanka
Thailand
Tokio
Vietnam

INDISCHER OZEAN | PAZIFIK
Australien
Malediven
Mauritius
Neuseeland
Seychellen
Südsee

> UNSER INSIDER
MARCO POLO Autor Martin Müller im Interview

Martin Müller ist Reisejournalist und Reportagefotograf. Mit Schottland verbinden ihn viele persönliche Erlebnisse und zahllose Reisen.

Was zieht Sie nach Schottland?

Mein erster Schottland-Besuch führte mich gleich auf die Äußeren Hebriden. Schuld daran waren die Schwarzweiß-Fotografien, die Paul Strand hier mal gemacht hat. Es war November und extrem windig. Trotzdem war das klare Licht zwischendurch eine Offenbarung. Der ständige Lichtwechsel hat mich danach auch im übrigen Schottland immer wieder zum Staunen gebracht. Wolken wirken hier wie sich bewegende Theatervorhänge. Dagegen ist die Landschaft bei Sonne pur fast schon langweilig.

Wollten Sie nie für immer bleiben?

Ein halbes Jahr habe ich mal auf Orkney gewohnt, bei Stromness, auch der Liebe wegen. Ein Bilderbuchsommer, danach vertrieben mich die Winterstürme. Heimisch könnte ich wohl in Glasgow werden: Das Temperament der Leute erinnert mich an meine Ruhrgebietsheimat.

Wo ist Schottland für Sie am reizvollsten?

Die Insel Eigg ist schön und spannend. Das Nest ist richtig aufgewacht, seit es die Bewohner vor einigen Jahren einem Großgrundbesitzer abgekauft haben. Der West Highland Way ist eine tolle Wanderung, weil er durch fast alle Landschaftstypen von Glasgow zum Ben Nevis führt.

Ihr Eindruck: Wie verstehen sich die Schotten mit den Engländern?

Eigentlich mag man sich gegenseitig. Aber nach 300 Jahren Ehe wollen einige Schotten ganz gern die Scheidung. Obwohl Premier Gordon Brown Schotte ist. Britisch zu sein kommt also gerade etwas aus der Mode. Mit der von Tony Blair – auch ein Landsmann – eingeführten Teilautonomie sind die Schotten auf den Geschmack der Unabhängigkeit gekommen. Es wird also spannend.

Wenn Sie nicht Großbritannien unterwegs sind, wo findet man Sie sonst?

Mich zieht die Neugier einfach überall hin. Auf die niederländische Insel Terschelling genauso wie nach Madagaskar. Als Städte finde ich Palermo, Stockholm und London spannend. Mit einem Bein wohne ich in Bochum, mit dem anderen in Kopenhagen.

Ihr skurrilstes schottisches Erlebnis?

Ein Segeltörn entlang der Westküste. Als das Trinkwasser eines Abends knapp wurde, haben wir uns die Zähne mit Maltwhisky geputzt.

Ihr liebstes Souvenir aus Schottland?

Ein altes Tweed-Sakko. Darin kann ich mich in Schottland einwickeln, wo auch immer ich gerade bin.

> BLOSS NICHT!

Schotten sind weder geizig noch Engländer

Falsch parken

Ist eine unangenehme Sache, weil richtig kostspielig. Auch mal eben die Parkzeit zu überziehen – selbst wenn es nur kurzzeitig ist – kommt richtig teuer, wenn Sie erwischt werden. Bei Städtereisen nach Glasgow oder Edinburgh sollten Sie besser ganz aufs Auto verzichten. Allein der Tagessatz für ein Parkhaus ist horrend.

Aufs Bier warten

In den Pubs ist Bestellung und Mitnehmen am Tresen angesagt. Wer am Tisch aufs Bier wartet, bleibt auf dem Trockenen sitzen.

Schlecht ausgerüstet in die Berge

Immer wieder müssen die schottischen Ranger leichtsinnige Touristen aus Nationalparks und Bergregionen retten. Das Wetter kann schnell umschlagen, Wanderungen und Bergbesteigungen sollten Sie deshalb nur mit dem passenden Outfit und der richtigen Ausrüstung angehen.

Ohne Genehmigung angeln

Lassen Sie sich nicht von der Einsamkeit täuschen: Die Angelrute einfach in ein Gewässer zu halten kann teuer werden. Die meisten Lochs und Flüsse liegen auf privatem Grund, und dafür brauchen Sie eine Angellizenz. Wer das ignoriert, muss mit hohen Strafen rechnen.

Mückenschutz vergessen

Im Mai und Juni ist die Hochzeit der Mücken. Die kleinen, summenden Plagegeister tummeln sich dann vor allem in Gewässernähe und an den Küsten zu Abertausenden. Ohne entsprechenden Schutz können Zelt- und Wandertouren zu einem Desaster werden. Guten Mückenschutz gibt es in allen Apotheken.

Die Schotten als Engländer bezeichnen

Das ist nicht nur unhöflich, sondern auch falsch. Die Schotten sind selbstständig und konstituierten 1999 ihr eigenes Parlament. Aufgrund der mitunter blutigen Historie ist jeder Schotte zu Recht beleidigt, wenn man ihn in einen Topf mit den Engländern wirft.

Die Schotten für geizig halten

Geiz wird den Schotten bis heute sprichwörtlich nachgesagt. Doch selten wird man ein Volk finden, das so gastfreundlich ist, und selten ein Land, in dem so viel und so großzügig für allgemeinnützige Zwecke gespendet wird.

An die kulinarische Einöde glauben

Fish & chips, und das war's? Falsch, Schottland ist keine kulinarische Einöde, sondern hat exzellente Restaurants zu bieten. Allerdings haben die auch ihren Preis. Wer gut essen möchte, muss hohe Restaurantrechnungen bei der Reiseplanung berücksichtigen.